UNIVERS DES LETTRES

Sous la direction de Fernand Angué

SOPHOCLE

ANTIGONE

Tragédie

traduction métrique, avec une notice sur les origines
du théâtre grec, une biographie de Sophocle, une
étude générale de son œuvre, une **analyse méthodique
de la pièce**, des notes, des questions

par

Marcel DESPORTES

agrégé des Lettres
Professeur de Première au Lycée Malherbe
chargé de cours à la Faculté des Lettres
et sciences humaines
de Caen

D0682270

© Bordas 1973 n⁰ 0855 770 812

I.S.B.N. 2.04.001415.2 (2.04.0766.0 - 2.04.01171.4 1ʳᵉˢ publications)

LA TRAGÉDIE GRECQUE

Cl. Boudot-Lamotte

Le temple d'Apollon à Bassae (Arcadie)

Le Parthénon

LA TRAGÉDIE GRECQUE

Les origines

Sacrifices et culte des morts. — Selon un scoliaste d'Euripide (*Hécube*, 647), le chœur tragique, au moment de son chant d'entrée, devait faire le tour de l'*orchestra* dans un sens en chantant la strophe, puis en sens inverse en chantant l'antistrophe ; après quoi il se plaçait face au public pour chanter l'épode. D'autre part, M. Fernand Robert (*La Littérature grecque*, p. 32 et suiv.) rapproche l'emplacement de sacrifice (appelé *thymélè*), autour duquel avaient lieu ces évolutions, de la thymélé d'Épidaure (IVe siècle av. J.-C.), « sorte de rotonde dont les trois derniers murs, circulaires et concentriques, présentaient un système de cloisons et d'ouvertures tel qu'il fallait, pour atteindre le centre de l'édifice, en avoir fait successivement le tour dans les deux sens. » Un autre rapprochement entre cet ensemble et le labyrinthe de Cnossos, ou l'image qu'on s'en faisait, amène M. Robert à voir dans la **danse de la grue** (Plutarque, *Thésée*, 21), instituée à Délos par Thésée à la ressemblance du parcours de ce labyrinthe, la première figure d'un type usuel d'entrée chorale.

Cette danse de la grue se déroulait autour d'une idole d'Aphrodite, l'autel étant fait avec les cornes des chèvres offertes en sacrifice à la déesse. Plus tard, l'élimination d'un culte féminin par un culte masculin aura pour conséquence la substitution du bouc à la chèvre. Alors le chant (grec *oidè*, latin *oedia*) qui accompagnera le **sacrifice du bouc** (*tragos*) sera proprement une « *trag-édie* » : si la chose évoluera, le nom ne changera plus.

Le choix d'une victime caprine révèle une intention purificatrice qui, toujours selon M. Robert, se reconnaîtrait à l'origine de certains sujets (*Œdipe-roi*), et même à l'origine de la formule aristotélicienne de la *catharsis* (= purgation) ou purification des passions. Peut-être pourrait-on ajouter que cette **intention purificatrice** préparait assez bien la « tragédie » à s'épanouir plus tard dans un culte, ou plutôt dans une sorte de Pâques, où Dionysos fera son entrée « d'un pas sauveur (= purificateur) » (*Antigone*, v. 1141).

Les sacrifices dont la tragédie est issue se rattacheraient aussi au **culte des morts.** Le sujet d'une de nos plus anciennes, *les Perses* d'Eschyle, se rapproche aisément d'un passage de l'*Odyssée* (chant XI) où Ulysse creuse une fosse, puis y verse le sang des victimes égorgées, afin d'évoquer les morts, c'est-à-dire de les rappeler à la vie durant quelques instants. La pratique, apparemment courante, de telles évocations devait favoriser l'éclosion d'un genre qui se caractérise par la « re-présentation » de la souffrance et de la mort... et qui fut si longtemps avant d'accorder quelque place à l'amour.

Autour des emplacements de sacrifice on construisait souvent de clôtures circulaires, et les **danses** (*orkhèmata*) évocatoires qui se déroulaient autour de la fosse donnèrent leur nom à l'aire ainsi délimitée : telle serait l'origine de l'*orchestre* du théâtre grec, au milieu duquel aboutissait souvent, comme à Érétrie, un souterrain partant de ce qui tenait lieu de coulisses et par lequel apparaissaient les personnages des Enfers. Si, plus tard, les « acteurs » jouèren masqués, c'est peut-être parce qu'ils représentaient des personnages depuis longtemps descendus dans l'Hadès.

Culte des héros. — Ces personnages sont le plus souvent des héros c'est-à-dire des êtres humains nés d'un mortel et d'une déesse ou d'une mortelle et d'un dieu, ou encore de simples mortels élevés aux honneurs suprêmes, voire aux honneurs divins, en raison de leurs épreuves, de leurs exploits. Ainsi Œdipe, héros de Thèbes et Adraste, à l'origine celui de Sicyone.

Le culte héroïque relie étroitement la cité à ceux qui, souvent au prix des pires souffrances, d'une véritable « Passion » pourrait-on dire, lui ont donné ses murs et ses institutions et l'ont sauvée de dangers, des fléaux : vers le commencement du VIᵉ siècle av. J.-C. Sicyone prenait tant de part aux malheurs d'Adraste, lors des sacrifices et des chœurs institués en son honneur, que le « tyran » Clisthènes dut prudemment, au cours d'une guerre avec Argos (dont Adraste était aussi le héros), attribuer les sacrifices au héros thébain Mélanippe et « restituer les chœurs » à Dionysos, — première « distinction des genres » entre la « tragédie satyrique » (à Sicyone cité du Péloponnèse, les Satyres étaient fort en honneur), qui sera introduite à Athènes par Pratinas de Phlionte, et la « tragédie héroïque » qui « acquit sur le tard de la majesté » (Aristote, *Poétique* 1449 *a*).

Culte de Dionysos. — Si le culte de Dionysos, par une extension nouvelle, « absorbe » aussi aisément certains aspects du culte des morts que le laisse penser la réforme de Clisthènes de Sicyone (*Hérodote*, V, 67), c'est, indépendamment du caractère populaire de ce dieu et de la « tyrannie », parce que la légende dionysiaque était, en partie, une légende de la mort : le dieu de la fécondité et de la vie ne se trouvait-il pas soumis à un cycle de morts et de renaissances ? Sous le nom de Zagreus, il aurait été, dans une première existence, le fils de Déméter; surpris par les Titans au milieu de ses jeux, il aurait été par eux mis en pièces et dévoré; seul, le cœur de l'enfant aurait été préservé, porté à Zeus par Athèna, et remis par Zeus à Sémélé, de qui le petit dieu serait pour ainsi dire ressuscité.

Thébain par sa seconde naissance, mais ayant dû quitter sa « cité » pour une longue fuite en Orient, Dionysos était revenu de Lydie par mer et avait débarqué en Attique sur le territoire d'Ikaria. Le second et le troisième jour des **Anthesthéries,** instituées à Athènes en son honneur (fin février), étaient sans doute une fête des morts; ils sortaient de terre, envahissaient les maisons; pour conjurer l'influence sinistre on organisait des sacrifices en l'honneur des âmes et de leur conducteur Hermès, et l'on présentait aux morts un repas funéraire. Mais le premier jour était celui de la gaieté; sous le signe également de la gaieté se déroulaient les très vieilles **fêtes d'Ikaria** qui comportaient un concours (Michel, *Inscriptions grecques*, nº 141). Ces joyeuses festivités expliqueraient peut-être pas mal de sourires, fugaces mais réels, dans la tragédie.

Dionysos était aussi revenu par le nord en passant par la Thrace. A ce Dieu de la fécondité, dont les prêtres faisaient couler des « fleuves de lait et de miel » (Platon, *Ion*), on ne pouvait s'unir que dans les transports de l'**enthousiasme,** véritable « possession divine ». Il conquit la Grèce en dépit de toutes les oppositions : aux Muses apolliniennes correspondirent bientôt les Ménades, et au péan le dithyrambe (*Antigone*, v. 961-965), qui célébrait d'abord le dieu lydien.

Le culte du dieu thrace aurait comporté des représentations : à Athènes, durant les **Agrionies,** un prêtre qui tenait le rôle des ennemis du dieu poursuivait, hache en main, une jeune fille person- nifiant une nymphe de la suite du dieu; à Delphes, celui-ci substituait à l'héroïne locale sa mère Sémélé, sous le vocable de Sémélé-Dioné : tous les sept ans, le tableau sacré faisait revivre la délivrance de la déesse par Dionysos, qui la ramenait des Enfers. A Éleusis (*Antigone*, v. 1120), il pouvait fort bien se trouver associé aux **drômena** (= représentations; cf. *drame*) qui mettaient sous les yeux du public la douleur de Déméter. L'extension du culte du dieu thrace prit volontiers un aspect pathétique : mythe de Lycurgue en Thrace (*Antigone*, v. 955); mythe de Penthée à Thèbes; mythe de Xanthus à Éleuthères (victoire de la nuit sur le jour). A Ikaria, il assombrit même la légende du dieu lydien, car le héros Ikarios paie de sa vie la découverte de la vigne et du vin, et il entraîne dans la mort sa fille Érigone.

De Thèbes, sa « patrie », le dieu nouveau venu, contournant le Cithéron par Éleuthères (= libertés), était entré en Attique, avait gagné Éleusis (vers 1300 av. J.-C.?) où il avait pris le nom d'Iakkhos (*Antigone*, v. 1152), puis s'était installé sur le territoire d'Athènes sous le vocable de Dionysos-Libérateur (*Dionysos-Eleuthéreus*).

Sur ce territoire d'Athènes on célébrait des **Dionysies agraires** (décembre-janvier), avec des chants et danses rythmiques, plus particulièrement au « concours » d'Ikaria où le dieu du Nord rencontrait le dieu lydien. Celui-ci rendait à son tour visite au dieu thrace dans son très vieux temple du Marais, le Lénéon, édifié avant l'époque de Thésée (*Thucydide*, II, 154), au sud d'Athènes, entre l'Ilissos et ce qui serait un jour le théâtre de Dionysos. Ce temple, où se trouvait le premier pressoir (inventé par le Lydien), était ouvert une fois l'an, le second jour des Antesthéries; on y célébrait les Lénées (janvier-février) qui comportaient des représentations dramatiques et qui, sans cesser d'exister, seront à l'origine des **Grandes Dionysies** (fin mars), instituées (vers 534 av. J.-C.?) par Pisistrate en l'honneur de Dionysos-Libérateur.

Confluences. — Victor Bérard a montré que l'épopée était plus près du drame qu'on ne se l'était figuré : les formules épiques auraient valeur de rubrique, le rejet des noms propres dans la marge des papyrus donnerait au manuscrit l'aspect d'un « rôle ». Platon n'a jamais séparé Homère des tragiques; et des rhapsodes comme Ion présentaient l'*Iliade* et l'*Odyssée* de façon à provoquer la terreur et la pitié. L'épopée est d'ailleurs singulièrement riche en beaux « récits », en beaux « discours » (*Iliade*, chant IX), en « scènes » pathétiques. Particulièrement pathétiques sont les *thrènes* ou *voceri* (cf. le *vocero* d'Hector, *Iliade*, XXIII) : « Tout un groupe de personnages se lamente rituellement à la mort d'un héros; un personnage plus important prélude à cette lamentation et fait alterner avec elle ses propres plaintes (cf. Achille au milieu des Myrmidons); de telles lamentations alternées ne s'entendaient que trop dans la réalité, au goût de Solon (Plutarque, *Solon*, 21). Tout cela donne une idée de ce que dut être la tragédie au temps de Thespis » (F. Robert), et se retrouve dans les parties lyriques (appelées *kommoi* ou complaintes) de nos chefs-d'œuvre.

Conclusion. — Aucune des hypothèses élaborées pour expliquer l'origine de la tragédie ne satisfait à elle seule; aucune ne présente d'incompatibilité avec les autres; complémentaires, elles ne coïncident guère : elles nous offrent tous les éléments de la tragédie, mais épars. Ce qu'on peut donc dire, c'est qu'il existe en Grèce, vers la première moitié du VIᵉ siècle av. J.-C., une tragédie « à l'état latent » (Maurice Croiset); lieu de rencontre des sacrifices, des cultes funéraires et héroïques, des cultes dionysiaques et des influences homériques, elle n'est encore, malgré la richesse de ses virtualités, qu'un « chant à l'occasion du sacrifice d'un bouc » (Fernand Robert), chant plus grave, il est vrai, qu'on ne le croyait jusqu'ici.

2. Les auteurs primitifs

Le dithyrambe. — Aristote est presque seul à faire remonter la tragédie aux « auteurs de dithyrambes ». Ce genre lyrique, qui tient son nom d'un vocable de Dionysos, est un chant en l'honneur

R. *Descharnes*

Le théâtre d'Épidaure (voir p. 5)

du dieu de la fécondité et de la vie, accompagné de son cortège d'esprits du sol et des eaux : Silènes en Attique, Satyres dans le Péloponnèse. Il s'exécute sur le mode phrygien (ou lydien), le plus passionné de tous, avec ses rythmes à trois temps comme le *bacchius* (ou « pied de Dionysos », ∪——) et le *crétique* (—∪—), ses tétramètres et ses grands mots étranges, audacieusement composés.

Le « citharède **Arion** » aurait introduit le dithyrambe à la cour du « tyran » de Corinthe, Périandre, vers 612 av. J.-C. Le poète, par réaction contre les excès d'un culte asiatique dont il avait pu être témoin dans son île natale de Lesbos, aurait fait de ce genre lyrique un chant choral de cinquante personnes qui, travesties (entièrement ou non) en Satyres ou en boucs (chœur *tragique*), tournaient autour de l'autel de Dionysos en célébrant le destin du dieu. Ainsi, de tous les genres existants, plus encore que l'*hyporchème* de Thalétas, le dithyrambe présentait un caractère mimique indiscutable : le chœur chantait moins qu'il n'imitait et ne jouait; l'hymne devenait un rôle, et les exécutants un personnage.

Thespis (vers 560 av. J.-C.). — Natif du bourg d'Ikaria, se présentant de bourg en bourg avec un masque (simple couche de céruse, puis touffe de pourpier, puis masque de toile), Thespis aurait imaginé de donner, sous des déguisements successifs, la réplique à ce chœur d'« hommes-boucs », d'abord dans le rôle de Dionysos, puis sous d'autres noms. Le « récitant » du dithyrambe, qui se contentait de préluder au chant, devenait le « répondant » : littéralement, l'*hypocritès*, mot que nous traduisons par approximation « homme de l'action » ou **acteur**. L'élément satyrique, fort mal connu à Athènes, s'estompait devant l'élément héroïque : c'est ainsi que *les Jeunes Gens*, l'un des rares titres que nous connaissons de l'œuvre de Thespis, devaient se rattacher à la légende de Thésée, héros d'Athènes.

Des améliorations successives de « mise en scène », quelque mérite littéraire aussi, valaient déjà aux « poètes » la faveur du public, et l'on connaît au moins le nom d'un autre auteur de tragédies ayant vécu en cette époque lointaine : Antiphane de Carystos (Eubée). Si bien que lorsque Pisistrate, par un calcul politique lourd de conséquences littéraires, organisa les Grandes Dionysies, il put y introduire, en l'honneur de *Dionysos Eleuthéreus*, les premiers **concours officiels de tragédie.** Thespis y participa. Les échafaudages de bois (le *théâtre* = lieu d'où l'on voit) s'élevaient sans doute sur la place du marché, dans le voisinage du Lénéon.

Choerilos. — A partir de 524-521 av J.-C. s'échelonne, sur près de quarante ans, l'œuvre de l'Athénien Choerilos; aussi glorieuse que celle d'Eschyle (Choerilos remporta treize victoires), cette œuvre n'aurait pas comporté moins de cent-soixante pièces. Cela ferait une moyenne de quatre par an; et ce chiffre invite à poser le problème de la **trilogie** (ou suite de trois tragédies) accompagnée du **drame satyrique** (genre dans lequel du reste se serait illustré Chœrilos), le tout formant la « tétralogie » présentée au concours par les concurrents. Avec Chœrilos, la tragédie aurait déjà perdu son caractère « indéfini » (Aristote, *Poétique*, 1449 *a*) et n'aurait plus embrassé d'un seul tenant toute une épopée ou tout un mythe; les choreutes auraient cessé de représenter tour à tour plusieurs groupes et de figurer successivement, par exemple, les compagnons de Laïos puis ceux d'Œdipe, puis ceux de Créon, en face du « répondant » qui jouait ces rôles l'un après l'autre. Peu à peu, les grands ensembles se seraient différenciés, puis morcelés en épisodes qui seraient devenus les trois éléments de la trilogie. Si l'on tient compte du drame satyrique qui complétait la tétralogie, le chœur dithyrambique de cinquante « hommes-boucs » se retrouverait à peu près dans cet ensemble, réparti à raison de douze choreutes par pièce.

Phrynicos. — L'Athénien Phrynicos aurait amélioré le chœur au point de vue de la danse et du chant, donné plus de part et d'éclat à l'« action »; surtout il aurait inventé (ou multiplié) les **personnages féminins**. Son œuvre avait, dit-on, un grand caractère de tendresse et d'humanité. Naturellement amené à augmenter la part du dialogue, qui aurait alors définitivement quitté le ton du récitatif pour celui de la simple conversation, il aurait par-là préparé l'apparition, à une date inconnue, du trimètre iambique.

Phrynicos poussa le souci de l'actualité jusqu'à donner des pièces comme *la Prise de Milet*, qui rappelait une victoire de Darius (494 av. J.-C.), et *les Phéniciennes* (476), qui avaient pour sujet la bataille de Salamine. Autant le poète fut malheureux avec la première pièce (amende de mille drachmes, représentations interdites), autant il eut de bonheur avec la seconde, qui remporta le prix.

Pratinas. — Ce poète n'aurait écrit que dix-huit tragédies et n'aurait remporté qu'une victoire. C'est pendant la représentation d'une de ses pièces que s'écroula le théâtre en bois du marché. En 496 commencèrent les travaux d'édification du théâtre de pierre, dans l'enclos de Dionysos-Libérateur, au flanc sud-est de l'Acropole.

Un grand créateur : Eschyle (525-456 av. J.-C.). — Né à Éleusis d'une famille d'eupatrides, Eschyle concourut pour la première fois en 500. Il combattit à Marathon (490), obtint son premier succès de poète tragique en 484, combattit encore à Salamine (480). Le succès des *Perses* (472) lui valut d'être appelé à la Cour d'Hiéron de Syracuse. Il obtint de nouveaux succès avec *les Sept contre Thèbes* et l'*Orestie* (458). Après un second séjour en Sicile, il mourut à Géla.

Eschyle perfectionna les machines, le masque et le costume : sans doute faut-il voir en lui l'inventeur du **cothurne**, cette chaussure qui rehaussait de vingt à vingt-cinq centimètres la taille de l'acteur. Il créa le **second acteur** et rendit par-là le dialogue vraiment dramatique, mais en maintenant la priorité au chœur.

Son plus pur titre de gloire est d'avoir créé un univers. Le Destin y joue en apparence le rôle prépondérant d'une divinité redoutable et invincible, qui réduit à néant des hommes gigantesques. On pourrait, à propos de son théâtre, parler· d'une tragédie sacrée qui présente un duel entre les dieux et le Destin, le cœur humain ne servant que de champ clos.

Mais une autre idée fait équilibre à ce Destin dominateur, l'idée de justice, qu'il serait aisé de relier à celle de liberté. Chaque tragédie pose une question de droit, d'un « droit-qui-se-déplace », où l'homme-qui-avait-raison abuse de ses titres et met le tort de son côté, où la vengeance dépasse le dommage subi et suscite à son tour la vengeance, jusqu'à l'apaisement final quand le dernier coupable est libéré de sa dette. Agamennon, abattu par Clytemnestre son épouse, ne sera que trop vengé par son fils Oreste, jusqu'au jour où celui-ci sera absous, où la déesse Athèna instituera le premier tribunal qui rendra la sentence non plus au nom de Thémis mais au nom de Dikè (voir *Antigone*, v. 450 et suiv.), et où les Érinnyes (*Antigone*, v. 603 et 1074-1075), de vengeresses deviendront bienveillantes. « Si les dieux restent jaloux, ce ne sera plus de tout mérite humain : les actes de démesure qui seront punis sont toujours des crises d'orgueil insensées, comme celles de Xerxès ou d'Agamemnon. Le châtiment est conforme à la justice. Les dieux sont des justiciers » (Fernand Robert, *Hist. de la littérature grecque*, p. 40). Certes, de l'homme apparemment victime du Destin nous ne voyons guère que la misère, sans la liberté; mais parfois nous entrevoyons sa grandeur : la fatalité génératrice de servitude se brise, dans *les Sept contre Thèbes*, sur la volonté d'Étéocle; le triomphe peut rester lointain, le héros peut succomber entre temps la mathématique du Destin, Étéocle aura sauvé Thèbes que condamnait un arrêt fatal.

Ainsi se trouve soudain dégagée, au moment de l'enfance de Sophocle, l'essentiel de la tragédie : le « tragique », ce sentiment de l'homme écartelé entre la liberté et la fatalité. A vrai dire, cette notion était éparse dans l'*Iliade* qui, au fond, en vivait. Achille, lucide et désespéré, pouvait ne point tuer Hector pour ne point périr lui-même; mais il ne pouvait laisser vivre Hector sans abandonner son devoir envers Patrocle, c'est-à-dire sans cesser d'être lui-même : il n'avait le choix qu'entre deux façons de mourir, puisque la fatalité voulait qu'il mourût. « Il n'y a rien de si malheureux qu'un homme », disait Homère. Eschyle redécouvrait l'ironique liberté tragique et, sans le dire expressément, plaçant Étéocle en face de ce que nous appellerions un cas de conscience, un devoir à double visage, il lui offrait le choix entre le reniement et la confirmation de soi, de l'être qu'il pouvait devenir seulement par le sacrifice, et qu'il devient.

Tous ces personnages, « hauts de quatre coudées » (Aristophane), souffrent leurs grandes souffrances dans une atmosphère de surnaturel : pressentiments, apparitions, songes, oracles, prédictions suggèrent sans cesse la maléfique présence de l'Invisible. Le poète parle une langue puissamment imagée (certaines images, comme celle du serpent dans *les Choéphores*, revenant avec la force d'un *leitmotiv*), une langue sacrée qui pourrait être la langue des Mystères. L'idéale simplicité de l'action, ou plutôt de la trilogie, reçoit de son inspiration religieuse une incomparable grandeur.

Sophocle (496-405 av. J.-C.). — L'homme va de lui-même au but que de très loin lui ont assigné les dieux. Toutes les réformes que Sophocle apportera à la tragédie — les dernières si l'on excepte les tentatives sans lendemain de son contemporain Agathon — s'expliquent par cet humanisme. L'abandon des « sujets sacrés » entraîne celui de la trilogie liée, et celui d'une machinerie compliquée. La volonté humaine se donnera carrière à l'intérieur de pièces dramatiques qui, désormais indépendantes, pourront avoir les dimensions d'une tragédie de Corneille. Avec le **troisième acteur,** le dialogue aura une ampleur suffisante pour faire équilibre à la partie lyrique, et les épisodes seront d'un dessin constamment renouvelé : l'étude des caractères s'en trouvera approfondie et nuancée. On est même en droit, avec Sophocle, de parler d'un quatrième acteur : le **chœur de quinze choreutes** (deux demi-chœurs commandés chacun par un *parastate*, l'ensemble étant aux ordres du *coryphée*) qui recevra toujours une personnalité précise. Si l'on ajoute que Sophocle a perfectionné le décor et, avec la *crépide* blanche, le costume des acteurs et des choreutes, on aura quelque idée du splendide concours du jeu et de l'action, du spectacle, du chant et du langage que fut, à la recherche de l'homme, une tragédie de Sophocle.

3. La tragédie athénienne à l'époque d'« Antigone » (441 av. J.-C.)

Le drame, institution athénienne. — Fernand Robert (*in* Jacquot, p. 55 et suiv.) a établi le caractère profondément démocratique de l'institution tragique, et ses rapports avec la conquête et l'organisation du droit populaire. Tous les sujets sont susceptibles de revêtir, au-dessus de l'esprit de parti, la forme d'une leçon à la fois morale et civique : Créon incarne-t-il une cité toujours prête à exploiter et à punir ses alliés au nom de la raison d'État ? Athènes est-elle avertie, dans la personne de son « stratège », que le crime de lèse-humanité s'expie tôt ou tard ?

Le chœur resta toujours l'élément essentiel de la tragédie : monter une tragédie, c'était « demander le chœur ». Or, il se demandait à l'archonte-éponyme, et ne put jamais comprendre que des citoyens. Ils paraissaient dans l'orchestre du côté de la ville dont ils étaient l'émanation. Autour de la *thymélè*, toute la cité s'unissait ainsi, par leur intermédiaire, au dieu de la fécondité et de la vie. C'était chose coûteuse que de recruter les choreutes du chœur « accordé » par l'archonte-éponyme, de leur trouver un maître capable et un local convenable, de les nourrir (car seuls les « acteurs » étaient rémunérés par la cité), et enfin de les habiller fastueusement. Un citoyen riche et généreux désigné par la cité, le chorège, se chargeait de cette dépense qui pouvait monter à quelque trois mille drachmes (Lysias, XXI). La chorégie était une « contribution » au culte de Dionysos-Libérateur, un « service public » ou, selon les Grecs, une « liturgie ».

Au soir du 13 Élaphébolion, quand les « juges » rendaient leur sentence à bulletin secret, c'est en tant qu'œuvre collective qu'ils appréciaient chacune des trois tétralogies présentées à leur suffrage. Tout entrait en ligne de compte : les pièces, les chœurs, la musique, les décors, les costumes, et le jeu — indivisible — de la troupe. Il s'agissait de savoir laquelle avait le mieux honoré le dieu.

La cérémonie tragique. — La cité, qui sanctifiait ce qui la servait, n'avait pas tardé à placer une institution aussi « politique » que la tragédie sous le salutaire patronage du Libérateur, et la cérémonie tragique était devenue une « solennité religieuse » sans doute dès le jour où quelque nouvel Homère avait senti la parenté qui reliait la « commémoration héroïque » et les « représentations sacrées ». L'idée même de concours était religieuse : il fallait ne dédier au dieu, présent sur la *thymélè*, que la fine fleur de la production tragique de l'année. Le Conseil, au nom de la cité, et les chorèges (un par poète), chacun au nom de son intérêt personnel, avaient dressé ensemble une liste de jurés; les noms, groupés par tribus, étaient mis dans des urnes que l'on gardait dans l'Acropole après les avoir scellées, et que l'on apportait au théâtre le jour du concours; l'archonte tirait au sort dix noms, un par tribu, puis les dix juges élus prêtaient serment.

Le 8 Élaphébolion, une procession conduisait la statue de Dionysos du temple où il régnait au théâtre tout proche qu'on lui construisait, mais après une longue « visite » (*Antigone*, v. 1135) à la cité et plusieurs stations dans les lieux consacrés. Le cortège gagnait d'abord l'agora, où les chœurs dansaient en l'honneur des douze dieux, puis de là se rendait, par la porte du Dipylon, à l'Académie (nord-ouest de la ville) où se trouvait un petit temple.

La statue était posée sur un autel; on exécutait des hymnes, ce qui signifiait que l'on croyait à la présence réelle du dieu (*Antigone*, v. 781 et suiv., 1115 et suiv.); on reprenait le chemin de la ville, de façon à n'arriver au théâtre qu'à la tombée de la nuit (il y a peut-être un souvenir de ces splendeurs nocturnes au vers 1116 d'*Antigone*), enfin l'on déposait la statue sur la *thymélè*.

Le 9, de grand matin, et ainsi chaque jour des fêtes de cette « semaine sainte », avait lieu une brève cérémonie en l'honneur de Dionysos; le héraut réclamait un silence religieux, car l'enceinte du théâtre devenait un temple où toute voie de fait était un sacrilège, et les spectacles commençaient.

On ne jouait la tragédie qu'aux fêtes de Dionysos : aux Dionysies agraires, sous la présidence du démarque; de temps à autre aux Lénéennes, sous la présidence de l'archonte-roi; aux grandes Dionysies enfin, sous la présidence de l'archonte-éponyme. Les grandes Dionysies étaient de véritables fêtes « nationales » qu'Athènes donnait, même en temps de guerre, à ses alliés, à la Grèce et au monde hellénique. La mer amenait alors, de tous les points de l'Empire, les députés porteurs de tributs et les curieux que l'éclat de ces solennités attirait de partout. On leur présentait des dithyrambes avec des chœurs d'enfants ou d'hommes (le *kommos*), et, depuis 460, des comédies. Mais c'est la magnificence du langage et du spectacle tragiques qui donnait la plus haute idée de la cité. Elle offrait au dieu, couronnée de violettes et vêtue d'habits de fête, un culte somptueux : le « concours » de trois jours (11, 12 et 13 Élaphébolion) qui terminait les Grandes Dionysies, comme les prolongeait (le 14) la proclamation des résultats, et comme les avait inaugurées (le 6, jour de la fête d'Asclépios, fils d'Apollon : voir *Antigone*, v. 1141, note) le *proagôn* ou présentation officielle des poètes, des interprètes, et du sujet des pièces qui allaient être jouées.

Le théâtre de Dionysos comprenait essentiellement l'orchestre où se rencontraient les acteurs et le chœur, emplacement circulaire (environ 20 mètres de diamètre) sur lequel empiétaient légèrement les bâtiments dits de la « scène », et qui se situait au cœur même de l'édifice, autour de la petite élévation centrale appelée *thymélè*. Face à l'orchestre, mais sur une longueur égale à tout le diamètre de l'édifice, s'élevait la « scène » : proprement la « tente » ou vestiaire, assez lointain souvenir du chariot devant lequel jouait Thespis au cours de ses tournées. Ce mur massif représentait ordinairement l'entrée d'un palais ou d'un temple, avec les annexes. Il était percé de trois portes : celle du milieu ou porte royale; celle de droite ou porte des hôtes; celle de gauche ou porte des femmes, qui menait encore aux sanctuaires et autres endroits retirés (*Antigone*, v. 99). Entre les gradins et la scène se trouvaient ménagés, de chaque côté, des passages appelés *parascénies*, par lesquels entrait le public, il était convenu que la parascénie de gauche donnait sur la campagne et celle de droite sur la ville (*Antigone*, v. 97). Certaines parties du mur qui formait la « toile de fond » étaient recouvertes de décors peints et mobiles. Agatharque de Samos, à qui Eschyle faisait appel pour la mise en scène de ses trilogies, fut le premier à se faire un nom dans cette mise en scène. Une sorte de prisme monté sur pivot s'élevait de chaque côté, un peu à l'écart des portes latérales, et présentait des vues différentes selon les besoins.

Pour nous borner aux « machines » qui intervenaient dans *Antigone*, il suffit de mentionner l'*eccyclème* (voir les vers 1292 et suiv.) : quand le poète avait besoin de montrer aux spectateurs l'intérieur de l'édifice, on ouvrait brusquement les portes de la scène et l'on produisait aux regards une « machine » qui était censée représenter cet intérieur. De l'orchestre partaient les · gradins destinés aux spectateurs. Des escaliers perpendiculaires (*klimakes*) et des couloirs concentriques (*diazômata*) facilitaient la circulation en divisant l'amphithéâtre en secteurs (*kerkidès*). La place d'honneur (le siège au milieu du premier rang) était naturellement réservée au prêtre de Dionysos-Libérateur ; à sa droite et à sa gauche prenaient place, sur tout le premier rang, les prêtres et les archontes qui avaient droit de préséance (de *proédrie*). Les deux gradins suivants revenaient aux personnages de marque.

Le chœur était l'élément fondamental de l'interprétation : à l'origine (et même encore du temps d'Eschyle) présent d'un bout à l'autre de la tragédie, il ouvrait le spectacle par une introduction lyrique. Quand, par souci de commodité et de clarté, ce prélude eut pris forme de prologue, l'entrée du chœur n'en resta pas moins le moment le plus pittoresque du drame. Précédés du **flûtiste** et variant, sous la conduite du **coryphée,** le schéma de leur danse initiale, par la droite du spectateur arrivaient quinze choreutes, parfois un par un, le plus souvent sur un front de trois ou de cinq membres : disposition quadrangulaire ou apollinienne. Dans sa forme primitive, le chœur défilait en chantant au rythme de la marche ; la *parodos* (ainsi se nommait le chant initia) garda toujours volontiers quelque chose d'allègre et de martial.

Elle reposait sur des systèmes de strophes et d'antistrophes, symétriques pied par pied et période par période, séparés et clos par des *anapestes* : ces interruptions (*parakatalogai*) et cette clausule constituaient une sorte de récitatif, exécuté isolément par le coryphée. Les formes doriennes y étaient rares. A la fin de la dernière antistrophe, le chœur s'arrêtait entre la scène et la thymèlè, près de laquelle prenait place le flûtiste, et la clausule anapestique annonçait l'arrivée du personnage qui devait ouvrir le premier épisode. Par la suite, à diverses reprises — au nom et parfois avec l'accompagnement du chœur —, le coryphée participait au dialogue drama-

Le théâtre de Dionysos à Athènes
(voir pp. 15-16)

Au premier rang, à droite, les sièges d'honneur
réservés aux prêtres et aux archontes

tique. Il répondait à la complainte du héros malheureux, il interrompait le dialogue pour annoncer l'arrivée d'un personnage; le plus clair de son rôle était de préparer, à la fin de chaque « chant en place » (ou *stasimon*), l'atmosphère du nouvel épisode, sauf bien entendu si l'on voulait donner à cet épisode le caractère de la soudaineté.

La liaison inverse (épisode-stasimon), tout aussi importante, était assurée par le chœur : bien que nettement individualisé, ce groupe, qui chantait à l'unisson, représentait la foule éternelle avec une incomparable poésie. Rien de plus beau que ces chants symétriques : strophe, dansée de gauche à droite, antistrophe de droite à gauche. Tantôt l'émotion est à son comble, et la cithare doit soutenir le jeu de la flûte; tantôt c'est l'enthousiasme, et le chœur exécute, pour le ravissement de tout un peuple, de légères figures de ballet. Une noble architecture poétique renvoie progressivement d'un chœur à l'autre l'onde tragique. Enfin le chœur quitte l'orchestre. Une dernière voix s'élève : le coryphée tire la moralité du drame.

Les acteurs. — A partir de Sophocle, qui joua encore lui-même ses premières œuvres, le poète tragique cessa d'être son propre tragédien. Il recevait de la cité trois acteurs tirés au sort : les postulants étaient nombreux malgré l'examen qu'on leur faisait subir. Le poète distribuait les rôles, tous tenus par des hommes, enseignait le ton et les gestes convenables, réglait le costume.

Comme il n'y avait que trois acteurs (on ne comptait ni les personnages muets ni la suite des rois), il fallait composer le drame de manière que chacun pût tenir plusieurs rôles. Ce n'était pas facile : le **protagoniste** ou premier rôle, sur qui portait toute la pièce et qui restait presque toujours en scène, pouvait rarement alterner avec le **deutéragoniste** et le **tritagoniste**, qui devaient se répartir quatre ou cinq rôles épisodiques, d'une façon restée conjecturale pour les philologues.

Le tritagoniste jouait ordinairement les tyrans. Cette spécialité (déjà se rencontraient des acteurs professionnels) n'allait pas sans lui attirer quelque mépris de la part d'une société démocratique, qui savait du reste apprécier et honorer le talent.

Le costume présentait un aspect dont seule rend compte l'importance prise par le culte dionysiaque dans les origines de la tragédie. Rien d'athénien, rien de grec : ample et bariolé, « oriental », il frappait l'imagination. Fortement différencié selon le rang et l'emploi des personnages (tunique brune et manteau très long pour les princes; robe traînante de pourpre et écharpe blanche pour les princesses; robe noire traînante et manteau bleu pour les reines en deuil), il dispensait le poète d'une foule d'explications qui auraient rompu le rythme tragique.

Le « plateau » antique était immense : abandonné à ses proportions naturelles, l'acteur y eût semblé ridiculement petit. On s'ingénia donc à le grandir : on le chaussa du **cothurne**; mais alors il fallut lui rembourrer le ventre et la poitrine, lui allonger les bras avec des gants, lui grossir et lui élever la tête en la couvrant d'un **masque** énorme, avec protubérance frontale et perruque. Ce masque, outre une antique signification funéraire (voir p. 6), avait l'avantage de renforcer la voix, de permettre au même acteur de jouer plusieurs rôles (dont ceux de femmes) et, qui sait, de le soustraire aux boutades de quelque spectateur trop familier.

Le public. — Jamais public ne mérita mieux son nom : pauvres et riches, toute la· population se pressait sur les gradins de l'amphithéâtre aux fêtes du Libérateur, car Pisistrate avait créé le fonds des spectacles qui assurait à chaque citoyen les deux oboles nécessaires pour payer sa place pendant la durée du concours.

En offrant au peuple la gratuité du spectacle, le « tyran » offrait la gratuité de l'éducation politique (ou civique); il ouvrait en même temps une école d'intelligence et de liberté. De 534 à 460, date de l'apparition des sophistes (dont aucun ne saurait s'y fixer et ne pourra s'y fixer), l'homme de la cité, à force d'entendre développer les formes les plus limpides mais les plus captieuses, en tout cas les plus diverses de philosophie politique, aura appris à se garder de ceux qui ne demandaient qu'à le tromper.

Le peuple athénien se montra étonnamment doué pour le spectacle tragique, spectacle dont le monde connu et inconnu n'avait pas même l'idée puisque le drame est une invention hellénique au même titre que la « cité ». Des comédies comme *les Thesmophories* et *les Grenouilles* ne seront possibles que dans une société où tout un peuple connaissait presque par cœur des tragédies entières. Parfois bruyantes, les réactions d'un pareil peuple devaient peser lourd dans la balance des juges.

Les prix. — Le poète vainqueur recevait une couronne d'olivier sacré; on le présentait aux spectateurs, orné comme un prêtre d'une couronne de lierre (la plante de Dionysos) d'où tombaient des bandelettes de laine; il pouvait offrir à ses amis, aux frais de la cité, un magnifique repas. La seconde place était encore assez honorable; la troisième marquait l'échec. Le chorège recevait une couronne et un trépied. L'usage était de confier ce trépied à une divinité dans son temple ou de le placer dans la rue des Trépieds, qui allait du Prytanée au Théâtre de Dionysos. Si le chorège était vraiment généreux, il faisait construire, pour recevoir le trépied, un monument particulier.

4. Structure de la tragédie au temps de Sophocle

De son entrée dans l'orchestre jusqu'à la fin de l'exode, le chœu[r]
assure à la tragédie non seulement l'unité de temps mais la cont[i]
nuité formelle, et la moindre convention du drame grec n'est pa[s]
aux yeux des modernes, l'absence même de la notion d'acte et d[e]
scène. Continue, la pièce est aussi un drame complet : *Antigo[ne]*
se termine quand le protagoniste a reçu tour à tour le choc de to[us]
ses adversaires.

La tragédie commence par un **prologue**, constitué tantôt par [un]
monologue d'un personnage, qui peut ne plus reparaître, tant[ôt]
par un dialogue.

Vient ensuite la **parodos** ou chant initial.

Avec l'**épisode I**, l'action s'engage. A la fin de cet épisode, le[s]
personnages se retirent plus ou moins lentement.

Suit le **stasimon I** ou « chant en place » (car le chœur était dé[jà]
dans l'orchestre, et il y reste une fois l'interlude achevé).

Selon une formule intangible, épisodes et stasimons vont alterne[r]
mais le nombre des systèmes épisode-stasimon peut être de troi[s]
quatre ou cinq, avec une entière souplesse de rythme et de mouv[e]
ment : dans *les Perses*, le premier épisode contient 354 ver[s]
le deuxième 24.

Au dernier stasimon succède le départ du chœur, ou **exode**.

Le dialogue lyrique (voir p. 16) se présente sous forme d[e]
complainte ou *kommos* (de *koptesthai*, se frapper la poitrine en sig[ne]
de deuil). Cette complainte caractérise le genre tragique : la vi[c]
time du Destin, sous une forme tourmentée, s'exprime en ve[rs]
spéciaux, les *dochmiaques* (du nom de leur pied fondamental,
dochmius, $\cup - - \cup -$, saccadé et varié à souhait), admirab[le]
instrument pour l'expression des émotions violentes. La complain[te]
occupe approximativement le centre de la tragédie, mais un secon[d]
adieu, plus poignant encore, peut constituer le dernier mouvemen[t]
sinon le dernier mot de l'exode.

Dans toutes les parties chantées apparaissent discrètement d[es]
formes doriennes. Pour ses parties récitées ou chantées, la tragéd[ie]
fait usage de l'ancien-attique; le trimètre iambique est le vers d[u]
dialogue dramatique. Généralement composé de douze syllabes p[ar]
la force des choses, et sans tirer aucunement son rythme de cet[te]
quasi-contrainte, ce vers se répartit en trois mètres ou mesures d[e]
deux pieds, selon la scansion suivante, toute théorique, avec [une]
coupe au cinquième ou au septième demi-pied :

Diverses substitutions de pieds étaient admises à toutes les places, sauf à la dernière où revenait régulièrement l'iambe caractéristique (∪—) appelé « pied pur »; encore l'accent rythmique pouvait-il conférer à une brève finale une valeur de longue. On trouvait :

a) dans l'un ou l'autre des cinq premiers pieds, surtout au troisième, rarement au cinquième, le *tribraque* (∪∪∪);

b) aux pieds impairs, le *spondée* (— —);

c) aux deux premiers pieds impairs, le *dactyle* (— ∪∪);

d) au premier pied, parfois, et dans les noms propres, l'*anapeste* (∪∪—).

L'iambe se recommandait au genre dramatique par son caractère animé : le mot passait pour dériver du verbe *iap-tô* (lancer) ; on rappelait les fameux et mortels brocards que le grand Archîloque avait décochés avec cette arme implacable; on évoquait le nom de la servante *Iambé*, dont les traits avaient dérobé un sourire à la malheureuse Déméter au plus fort de sa détresse; les « mots » devaient fuser aux fêtes de Dionysos-Lydien. Quant au trimètre iambique, il avait de telles affinités avec le mètre de la simple conversation que, selon Aristote, bien des gens, sans s'en rendre compte, faisaient des trimètres iambiques en parlant. Le langage tragique devait raser la prose : l'exiguïté dodécasyllabique imposait une langue terre-à-terre, remplie de formules dissyllabiques commodes (*ceci, cela*) ou de termes passe-partout (*bien, mal, faire, agir, acte*, etc.).

Cependant, le trimètre tragique a des ailes. D'abord, il est employé seul et ne rencontre la concurrence d'aucun tétramètre, comme cela arrive chez les comiques. Il prend essor sur des résistances fécondes, comme la quasi-interdiction de l'hiatus, du dactyle cinquième, de la coïncidence de la seconde syllabe d'un tribraque avec la finale d'un polysyllabe. La loi de Porson, trop grossièrement résumée, oblige à faire précéder d'une brève le mot final d'un vers si ce mot est de trois syllabes et de forme crétique (—∪—). Faut-il ajouter, en nous en tenant à la seule *Antigone*, que le trimètre offre la ressource du rejet et du contre-rejet, au vers ou à l'hémistiche (vers 658) ? Certains vers ont la lenteur méditative d'une foi qui se résume (v. 901), le tranchant de la sentence (v. 1028), l'emportement de la fureur (v. 1036), ou la simplicité des choses de la nature (v. 424-425), de l'art (v. 430) et des grandes lois du monde (v. 456).

Le mètre est générateur d'une syntaxe dont le moins qu'on puisse dire est qu'elle nous offre souvent des vers d'interprétation fort délicate. Parfois, sous l'intensité de l'émotion, la phrase se prolonge ou s'exalte en une période d'une admirable venue, de six, huit et même neuf vers. Quant à l'ordre des mots, il n'est jamais dicté que par l'image ou la passion (v. 245-247; 717; 30; 1064-1071), surtout à la fin des grands discours ou des beaux récits. Peut-être la tragédie d'*Antigone* tire-t-elle son plus beau passage

(v. 508-525) d'une victoire sur les nécessités métriques et syn-
taxiques.

Bien entendu, le mètre commande aussi un certain vocabulaire
les mots en *-ma*, particulièrement commodes, donnent à la langu
tragique une grande noblesse, de la régularité, de la précision dan
les mouvements décisifs, qu'ils se déroulent en discours symétrique
(de longueur ou de valeur) ou en échanges de sentences appelée
stichomythies.

5. Conclusion : un essai de définition

Si l'on considère tour à tour les origines, l'histoire et la structur
même, pompeuse et familière, de cette institution athénienne qu
fut la tragédie, on pourrait la définir comme la représentation, à la
gloire de Dionysos-Libérateur, d'un poème lyrique et dramatiqu
que la cité s'offre à elle-même, et dont elle a voulu faire une médi
tation pathétique sur la vie humaine[1].

---

1. Voir la définition proposée par Wilamowitz - Moellendorf, p. 123.

Statuettes
d'ivoire
représentant
des acteurs
tragiques
avec leurs
cothurnes
leur masque
(voir pp. 18-19)

Cl. Roger-Viollet

Masque en terre cuite

L'ÉPOQUE DE SOPHOCLE

499   Naissance de Périclès.
490   Victoire de Marathon sur les Perses.
488   Naissance d'Empédocle et de Gorgias (?).
480   Victoires de Salamine (Thémistocle), de Platées, de Mycale.
      Début de l'hégémonie d'Athènes qui lève, dès 478, tribut sur ses alliés.
477   Sous le commandement militaire athénien se groupent les cités libres de l'Égée.
476   Renforcée par l'aristocrate Cimon, la confédération devient un Empire. Victoire dithyrambique de Simonide. Naissance de Prodicos.
472   Eschyle, *les Perses*.
467   Eschyle, *les Sept contre Thèbes*.
      Naissance de Thucydide et de Socrate. Mort de Simonide.
      Victoire de l'Eurymédon (Cimon); la Perse est abaissée pour longtemps.
462   Constitution d'Éphialte (démocratique).
      La comédie est admise aux Grandes Dionysies. Anaxagore se fixe à Athènes.
      Naissance d'Hippocrate et de Démocrite.
458   Début des Longs Murs. Temple de Zeus à Olympie.
457   Victoire sur Égine; suprématie navale athénienne. Défaite de Tanagra; suprématie terrestre lacédémonienne.
455   Le trésor de la Confédération est transféré à Athènes qui prélève une lourde taxe pour prix de la protection accordée aux alliés par la Déesse. Sophocle, *Ajax*. Débuts d'Euripide. Parménide introduit à Athènes la doctrine des Éléates.
451   Rappelé d'exil, Cimon fait signer avec Sparte la trêve de cinq ans. Naissance d'Alcibiade.
449   Siège de Chypre. Mort de Cimon.
448   Phidias : Athéna chryséléphantine.
446   Thèbes écrase Athènes à Coronée. Le Parthénon est en construction et sera achevé en 435. Mort de Pindare. Naissance d'Aristophane (445?).
441   Division de l'Empire en cinq districts. Sophocle, *Antigone*. Première victoire d'Euripide aux Lénéennes.
436   Naissance d'Isocrate.
431   Guerre du Péloponnèse. Peste d'Athènes. Euripide, *Médée*.
429   Naissance de Platon.
428   Mort de Périclès et d'Anaxagore. Euripide, *Hippolyte*.
427   Gorgias introduit à Athènes la rhétorique.
421   Paix de Nicias. Début des travaux de l'Érechtéion.
415   Euripide, *les Troyennes*.
414   Aristophane, *les Oiseaux*.
413   Désastre de Sicile. Début de la guerre de Décélie.
412   Euripide, *Hélène*.
411   Réaction aristocratique : les Quatre-Cents.
      Aristophane, *Lysistrata* et *les Thesmophories*.
410   Victoire de Cysique (Alcibiade); rétablissement de la démocratie.
409   Sophocle, *Philoctète*.
408   Retour d'Alcibiade à Athènes. Euripide, *Oreste* et *les Phéniciennes*.
405   Défaite décisive d'Aegos-Potamos.
      Euripide, *Iphigénie à Aulis*.
404   Athènes tombe aux mains de Sparte.

LA VIE DE SOPHOCLE

495 (?) Sophocle naît à Colone, bourg de l'Attique, à dix stades (deux kilomètres) d'Athènes. Sa famille, de la tribu Égéide, appartient à la « bourgeoisie » aisée : son père, Sophilos, est armurier, comme le sera celui de Démosthène. L'enfant reçoit l'éducation traditionnelle : poésie, musique (sous la direction du fameux Lampros ?), gymnastique.

480 Nu et frotté d'huile, l'éphèbe Sophocle conduit le chœur chargé de célébrer la victoire de Salamine.

468 Première tétralogie présentée au concours; première victoire éclatante. Selon Plutarque (*Cimon*, 8), après la victoire de l'Eurymédon, Cimon serait entré au théâtre avec les autres stratèges; invité par l'archonte à désigner le vainqueur du concours poétique, il aurait couronné Sophocle.

Le jeune homme se consacre dès lors au théâtre, jouant au début, selon un usage encore répandu, le premier rôle de ses pièces, notamment dans *Thamyris* et dans *Nausicaa*.

Il sera couronné plus souvent qu'aucun autre poète : vingt victoires, paraît-il, pour trente tétralogies environ.

455 (?) *Ajax*.

445 *Élégie à Hérodote*.

443 Hellénotame.

441 **Antigone** (trente-deuxième pièce du poète).

440 Lors de l'expédition de Samos, Sophocle est stratège avec Périclès (il le sera une autre fois avec Nicias). Il séjourne à Chios et à Lesbos.

439 (?) *Électre*.

430 (avant) *Œdipe-roi* [1].

430 (après) *Les Trachiniennes*.

428 Victoire poétique d'Iophon, l'aîné des fils du poète.

421 Prêtre du héros-guérisseur Amynos, Sophocle contribue en cette qualité à l'introduction en Attique du culte d'Asclèpios, culte venu d'Épidaure.

413 Le poète aurait été membre des *Probouloi*, sorte de Comité de salut public fondé à la nouvelle du désastre de Sicile, et auquel l'impartial Thucydide ne marchande pas les éloges.

409 *Philoctète*.

405 Mort du poète.

402 *Œdipe à Colone* est représenté par les soins de son petit-fils, Sophocle le Jeune. Entre temps, Sophocle avait été héroïsé sous le nom de *Dexion* (= l'Accueillant), nom qui commémore l'hospitalité rituelle accordée au héros Amynos.

---

1. Il est de tradition de placer *Œdipe-roi* après 430. Nous croyons avoir des raisons de le faire remonter un peu dans le temps.

SOPHOCLE : L'HOMME

Sophocle est essentiellement un homme « heureux », à qui les dieux ont tout donné. A la beauté il joint l'adresse : il se fait remarquer dans le rôle de Thamyris comme joueur de lyre, et dans celui de Nausicaa par sa dextérité à lancer la balle. Mais la faiblesse de sa voix lui interdira vite de jouer lui-même le premier rôle de ses pièces.

Sa fécondité tient du prodige. A partir de cinquante ans, le poète concourra en moyenne tous les deux ans. Il unit au sens inné du théâtre un inlassable goût de l'effort, et il perfectionnera sans cesse sa dramaturgie. Trop complet pour n'être qu'un artiste, il a néanmoins une conscience aiguë de la technique poétique : les Anciens possédaient de lui un *Traité sur le chœur*.

« Facile à vivre » (Aristophane, *les Grenouilles*, v. 82), plein de déférence à l'égard de ses aînés, ami d'Hérodote, il aurait formé sous l'invocation des Muses, un cercle d'artistes qui avait ses assemblées régulières : cela en dit long sur l'urbanité de cet homme de bonne compagnie.

Citoyen, il ne se dérobe pas devant ses devoirs; fort attaché au pays de son enfance et de sa jeunesse, il déclinera, seul des grands tragiques, l'offre d'accueil de plusieurs souverains étrangers.

D'une piété sereine et scrupuleuse, il a un sens religieux profond : son Tirésias est prêtre dans l'éternité; toute l'œuvre de Sophocle, si humaine, est pénétrée de divin.

Sensible aux implacables lois du désir (à ce que laissent entendre Platon et tel stasimon d'*Antigone* : stasimon III, voir p. 84), mais aussi à l'harmonie de l'amour (selon le même stasimon), Sophocle s'offre à toutes les joies humaines, sans aucune sensiblerie.

Ainsi, dans cet admirable vᵉ siècle — le siècle de Périclès — dont il partagea les épreuves et les grandeurs, mais dont la misérable fin lui fut voilée par la faveur des dieux, Sophocle — athlète et musicien, « bel et bon », homme de goût et de méditation, cœur largement ouvert à la beauté des idées, des êtres et des choses — incarna l'idéal humain.

SOPHOCLE : SON ŒUVRE

De l'œuvre de Sophocle nous sont parvenues, outre d'importants fragments des *Limiers*, drame satyrique découvert et publié en 1912, sept tragédies dont voici la brève analyse :

1. **Ajax** — Le sujet en est emprunté au cycle des « Retours », qui racontait la fin malheureuse ou les vicissitudes des héros ayant pris part à la guerre de Troie. Frustré des armes d'Achille auxquelles il avait droit, croyait-il, mais que les Grecs ont attribuées à Ulysse, Ajax médite le meurtre des chefs de l'armée. Rendu fou par Athèna, il dirige ses coups contre un troupeau puis, revenu à la raison, il choisit de mourir. De toute la légende, le poète n'a retenu que ce choix désespéré. Reste à savoir si Ajax a droit à la sépulture : Agamemnon ne veut rien entendre; mais Ulysse obtiendra des funérailles pour celui qui fut cependant son ennemi de toujours.

2. **Antigone** — Consacré à un point obscur d'une légende thébaine, le sujet porte encore sur le refus ou l'octroi d'une sépulture; mais il est posé au début de la tragédie. Il donne à Antigone et à Créon l'occasion de s'opposer au Bien ou à un Mieux dont chacun n'aperçoit qu'une face, et de succomber finalement à la fatalité dont la marche n'avait échappé à nul spectateur. Au dernier moment, victimes l'un et l'autre d'un absurde contre-temps, Antigone et Créon entraînent dans leur propre chute les êtres qu'ils chérissaient.

3. **Œdipe-roi** — La peste ravage la ville de Thèbes, où règne Œdipe. Créon rapporte un oracle qui promet la cessation du fléau si l'on punit le meurtrier de Laïos. Mais quel est ce meurtrier ? Consulté, le devin Tirésias refuse de répondre. Œdipe, irrité, veut chercher lui-même le coupable. La suite de la tragédie est consacrée à cette enquête passionnée, tenace, intelligente et téméraire, menée par un prince orgueilleux dont chaque démarche ne peut que resserrer autour de lui le réseau d'une implacable fatalité : car le meurtrier de Laïos, c'est Œdipe.

4. **Électre** — Clytemnestre demande à voir les cendres d'Oreste; celui-ci la tue, puis il tue Égisthe, à qui l'on montre, avant de l'immoler, le cadavre de la reine. Oreste n'est ni conduit ni poursuivi par les Furies, il est seulement inspiré par un oracle. Le premier rôle revient à sa sœur Électre qui, elle, ne veut obéir qu'à sa conscience.

5. **Les Trachiniennes** — Même humanisation, dans cette tragédie, d'un mythe essentiellement sacré, puisqu'il a pour épilogue l'apothéose d'Héraklès : le poète se limite à l'étude des circonstances morales

qui entourent la fin du héros. Tout se passe comme si Sophocle, soucieux de corriger ce que ses drames avaient d'artificiel ou de gratuit (du moins le croyait-il, dans la sévérité de ses exigences à l'égard de lui-même), avait voulu refaire des légendes ou des drames en les ramenant à des proportions humaines : après avoir conquis la maîtrise de son art avec *Œdipe-roi*, il ramenait sur la terre le mythe d'Alcide et le sujet des *Choéphores*.

6. **Philoctète** — Abandonné par les Grecs dans l'île de Lemnos, Philoctète possède les armes d'Héraklès qui, seules, auront raison de la résistance de Troie. Ulysse et le fils d'Achille viennent le chercher pour le ramener au camp; mais le malheureux, justement irrité, refuse de les suivre; il ne cède qu'aux instances d'Héraklès qui lui est apparu. Tout le sujet tient dans l'étude de la volonté humaine.

7. **Œdipe à Colone** — C'est encore l'étude de la volonté : le héros connaît sa destinée, l'accepte avec fierté, puis triomphe, pour l'accomplir, de toutes les résistances : nous sommes aux antipodes d'*Œdipe-roi*. Jusqu'à sa mort, Sophocle est allé à la recherche d'une formule dramatique nouvelle, sans jamais perdre de vue l'homme, dont il n'a cessé d'étudier et de glorifier le comportement.

Cet « humanisme » devait l'amener à des réformes matérielles : d'abord au rejet de la trilogie liée. L'étude de la volonté humaine suppose la rencontre d'obstacles révélateurs. Aussi, sans prendre pour autant un caractère « implexe », la tragédie va-t-elle perdre l'idéale simplicité qu'elle avait avec Eschyle, et se charger de quelque matière. D'épisode en épisode, il faut bien que les personnages aient de quoi discuter. Et comment alors éviter la lourdeur en imposant à l'auditeur une suite, non plus de trois à cinq débats sur un sujet limité, mais de neuf à quinze contestations sur un interminable procès ? Une raison analogue à celle qui avait peut-être amené Chœrilos (voir p. 10) à réduire le rôle du chœur amenait Sophocle à ne pas accabler le spectateur. Comment, d'autre part, concilier une perspective où les dieux interviennent sans cesse et une formule qui repose sur l'autonomie de la volonté humaine (*Antigone*, v. 821, 875 et 1317) ?

Des caractères volontaires pourraient paraître, à première vue, d'une extrême simplicité. Or, tous les personnages de Sophocle ont l'unité, la richesse et l'originalité de la vie. On n'en a jamais fini avec les grands rôles : chacun reçoit sa lumière de lui-même et de tous les autres; des jeunes gens d'abord aussi extérieurs l'un à l'autre que Hémon et Antigone obéissent en fait à de nobles et subtiles affinités qui les transfigurent en un couple, l'un des plus harmonieux que l'on ait portés sur le théâtre. Quant aux personnages secondaires, ils sont proprement insaisissables : Ismène est tout en demi-teintes, si bien qu'on peut, sans la trahir, interpréter son rôle de cent manières. Seuls, les grands artistes ont le don de communiquer cette vivante ambiguïté qui ramène sous nos yeux la même personne avec un nouveau visage, parce que la scène n'est qu'une infime partie du monde et que, hors de la scène, le cœur a continué de battre selon son rythme. Femme, reine et mère, Eurydice prend de sa rareté un inoubliable relief : elle ne prononce que neuf vers (p. 108, v. 1183-1191), et cependant ses épreuves de mère nous tiennent dans la terreur pendant tout l'exode.

L'auteur d'*Ajax* et d'*Antigone* est un peintre, non un professeur de grandeur d'âme et de gloire; au nom d'un vieil idéal grec de mesure et de prudence, au nom de l'idéal des *Perses* et des inscriptions du temple de Delphes, il constate l'échec de l'héroïsme sous toutes ses formes : Antigone meurt, Hémon meurt, Créon appelle la mort. Ni les uns ni les autres ne sont partis pour les Iles Bienheureuses, et le chœur ne saurait avoir à leur égard les regrets du geôlier de Socrate à l'égard du sage. N'arrive que ce qui doit arriver; l'erreur d'un être borné dresse en face de lui une âme d'élite, naturellement inflexible, mais à bout de patience, et tous meurent. Toutes ces victimes, volontaires et inconscientes, sont prises, comme l'Étéocle eschyléen, dans l'implacable engrenage tragique : être ou ne pas être, et, de toute façon, mourir. Mais le mal s'est aggravé : on se perd dès le premier pas, avec les meilleures intentions du monde, et il n'y a pas de délivrance. Il n'importe qu'au terme de longues générations une race maudite produise une jeune fille immaculée. Un implacable « péché originel » l'enveloppe dans la damnation. Il n'importe qu'après de longues erreurs un roi cruel veuille réparer de ses mains le crime dont il convient enfin. La Fatalité rend la faute irréparable; en dehors des dieux, avant ou après eux, comme on voudra, quand eux-mêmes allaient peut-être fermer les yeux, elle surgit et fond — démesure ou non, malédiction ou non — sur des aveugles étranges, pleins de lucidité, qui se sont enferrés eux-mêmes. Le spectateur sent très tôt ce que veulent les dieux; le « héros », lui, n'en sait rien. Il les croit de son côté, il croit les servir; puis il se croit abandonné et termine sa vie sur un « pari » (c'est l'histoire d'Antigone) ou sous leurs coups (c'est l'histoire de Créon).

Autant Eschyle était le poète de la grandeur, autant Sophocle est celui de la terreur : on est écrasé, à la fin d'*Antigone*; il suffisait à Racine de lire une scène de cette tragédie pour clouer d'épouvante son auditoire sous les frondaisons du jardin d'Auteuil. Qui niera pourtant la sérénité sophocléenne ? Regardons la beauté du jour : ceux qui la savent menacée sont peut-être les seuls à pouvoir la célébrer.

BIBLIOGRAPHIE

Fernand Robert, *l'Humanisme, essai de définition*, Les Belles Lettres, 1945.

Fernand Robert, *Homère*, P.U.F., 1950.

L. Legras, *les Légendes thébaines dans l'épopée et la tragédie grecques, Annales de la Faculté des Lettres*. Lille, 1905.

Jardé, *Athènes ancienne*, Les Belles Lettres, 1930.

Paul Guillon, *la Béotie antique*, Hachette, 1948.

Paul Festugière, « la Grèce » (*Histoire générale des religions*, t. II, éd. Quillet).

Francis Vian, *les Origines de Thèbes. Cadmos et les Spartes*, Klincksieck, 1963.

H. Patin, *les Tragiques grecs*, t. II, Sophocle, Hachette, éd. de 1858.

Nageotte, *Histoire de la littérature grecque*, Garnier, 1879.

Jules Girard, *Études sur la poésie grecque. Sophocle*, 1884.

Maurice Croiset, *Histoire de la littérature grecque*, t. III, Fontemoing, 1935.

Fernand Robert, *Histoire de la littérature grecque*, P.U.F., 1946.

Jacques Perret, « Théâtre antique et théâtre moderne. Problèmes de structure » (*Information littéraire*, janvier 1954).

R. Genaille, « Lecture de *Cinna* » (*Revue universitaire*, LXIIe année, n° 4).

P. Collin, *Antigone*, Dessain, 1961.

Jean Jacquot, *le Théâtre tragique* (études réunies et présentées par...), éd. du C.N.R.S., 1962.

Gilberte Ronnet, « le Sentiment du tragique chez les Grecs » (*R.E.G.*, 1963, p. 327 et suiv.).

Jacques Morel, *la Tragédie*, Colin, 1964.

R. Trousson, « la Philosophie du pouvoir dans l'*Antigone* de Sophocle » (*R.E.G.*, 1964, p. 23-33).

Le texte traduit ici, sauf indication contraire, est celui de l'édition Dain, avec notice de Paul Mazon, éd. les Belles Lettres, 1955. Le numéro des renvois est celui du texte grec et ne correspond pas nécessairement au numéro des « vers » de la traduction.

Statue présumée de Sophocle

TABLEAU CONJECTURAL ET SIMPLIFIÉ DES GRANDS NOMS DU CYCLE THÉBAIN

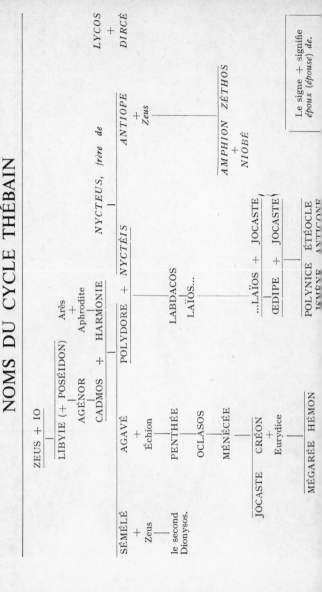

Le signe + signifie époux (épouse) de.

LES MYTHES THÉBAINS DANS « ANTIGONE »

Le roi phénicien Agénor envoya ses fils à la recherche de leur sœur Europe. Ne l'ayant pas trouvée et n'osant revenir dans leur patrie, ils s'installèrent en terre étrangère. Le plus jeune, **Cadmos** (hébreu *Cadmi* = l'Oriental), invité par Apollon Pythien à suivre une génisse et à fonder une ville là où la bête tomberait sur le sol, acheta une génisse, la prit pour guide et fonda **Thèbes** (du nom de la ville ancestrale, en Égypte) là où l'animal tomba. Le pays, l'antique Aonie, devint la Béotie (= pays de la génisse, *bous* en grec). Les Aoniens, que le Phénicien n'avait pas chassés, prirent le nom de Cadméens, nom qui s'appliqua aussi au territoire (*Antigone*, v. 508 et 1162).

Cadmos avait dû livrer combat à un dragon (v. 125-126) qui gardait une fontaine. Il tua le monstre et, sur le conseil d'Athèna (v. 1184), sema dans la terre les dents de ce dragon, qui donnèrent aussitôt naissance à des guerriers armés, les **Spartes** (= les Semés). Cadmos leur jeta des cailloux. Les nouveau-nés en vinrent aux mains et s'entr'égorgèrent. Il n'en resta que cinq, dont Échion, qui épousa l'une des filles de Cadmos, Agavé, et se trouva à l'origine de la branche royale à laquelle devait appartenir **Créon**.

Le dragon était fils d'Arès (v. 125). Cadmos entra au service du dieu, pour l'apaiser, et y parvint en apparence en le servant pendant une « grande année », soit sans doute pendant huit ans; puis il épousa la princesse Harmonie que ce dieu de la guerre avait eue d'Aphrodite (v. 800). Le vieux souverain, qui s'était déchargé des tracas du pouvoir sur son petit-fils Penthée (= la Douleur), dut le reprendre quand les Bacchantes eurent déchiré le malheureux prince. Lorsque Cadmos se fut définitivement retiré, son fils Polydore régna à son tour, puis transmit le sceptre à son fils Labdakos, qui donna son nom à la dynastie des **Labdacides** (v. 594). Et ce fut l'avènement de **Laïos**.

Le nouveau prince n'était encore qu'un enfant : son arrière-grand-oncle Lycos (= le Loup) lui aurait presque immédiatement, et pour longtemps, arraché le pouvoir[1]. Ce Lycos, et **Dircé** son épouse, persécutaient fort leur nièce Antiope. Elle avait de Zeus deux jumeaux, Amphion et Zéthos, qu'elle emmena dans sa fuite lorsqu'elle eut pris cette décision désespérée. Lycos retrouva la fugitive; et elle endurait à Thèbes de nouvelles humiliations quand, un jour, elle s'échappa et se fit reconnaître de ses fils. Les Jumeaux s'emparèrent du pouvoir. Ils s'emparèrent aussi de Dircé, la lièrent sur un taureau sauvage qu'ils lancèrent dans les solitudes, et jetèrent le cadavre

---

[1]. Voir le *Tableau conjectural* p.32.

dans la fontaine d'Arès, qui devint **la source Dircé** (v. 104). Amphio
(v. 1155) construisit la citadelle, qui s'appela Cadmée, et les mu
de Thèbes. Il épousa la fille de Tantale (v. 134), **Niobé** (v. 825); c
ignore le nombre de leur enfants, qui varie de douze à vingt; à l'exce
tion du petit **Amphion**, tous périrent, victimes de l'orgueil materne
sous les flèches d'Artémis et d'Apollon.

Un jour, Laïos reparut sur le trône. Il avait épousé une arrièr
petite-fille de Penthée, dont le nom n'est pas très sûr mais qui pouva
se nommer **Jocaste**, fille de Ménécée et sœur de Créon. Déjà la mal
diction du Ciel était sur lui car il aurait, selon une légende fort pe
répandue et dont Sophocle ne dit mot dans les œuvres qui no
restent de lui, enlevé le jeune Chrysippe (= Crin d'or) et se sera
ainsi attiré le courroux d'Hèra qui protégeait les lois et les devoi
du mariage. Si le peuple restait fidèle (v. 165-166), Laïos en revanche r
devait pas compter avoir d'héritier. L'oracle de Delphes, consult
avait répondu que Laïos n'aurait de fils que sous peine de périr pa
sa main. Un fils naquit cependant. Le roi fit percer les pieds du nouvea
né qui fut exposé parmi les montagnes du Cithéron, et qui, découvert
recueilli par un berger, reçut le nom d'**Œdipe**.

L'inévitable s'accomplit : Œdipe tua son père. Quelque temps aprè
tout le pays subit les ravages de **la Sphynge** (le Sphynx). Créon, q
avait succédé à Laïos, promit d'abdiquer en faveur de celui qu
tuerait le monstre. Celui-ci fit une nouvelle victime, Hémon, le jeun
fils de Créon, et tomba lui-même victime de l'intelligence d'Œdipe qu
déclaré roi de Thèbes, devint l'époux de sa mère. Quatre enfan
naquirent : Polynice, Étéocle, Ismène, et **Antigone** que le poè
représente à plusieurs reprises comme une adolescente. Un jou
tout se sut : Jocaste se pendit (v. 53); Œdipe se creva les yeux (v. 52
maudit ses fils (v. 2), et sa mort fut infâme autant qu'odieus
(v. 49).

La malédiction d'Œdipe se réalisa : ses fils se disputèrent le pouvoi
Étéocle chassa Polynice qui se réfugia chez le roi d'Argos, Adrast
(= l'Inévitable), dont il épousa la fille, la princesse Argie (v. 870?
Adraste avait promis à son gendre de le rétablir sur le trône : il m
à sa disposition sa magnifique armée et l'accompagna dans son expe
dition. Cinq autres chefs leur apportaient l'appoint de leurs forc
et de leur bravoure. Thèbes était menacée (et défendue à la fois
par ses sept portes, de telle façon qu'à Polynice s'opposait Étéoc
La colère d'Arès se réveillait. L'infaillible devin **Tirésias** déclara qu
seul, le sacrifice d'un homme dont les ascendants étaient nés de
dents du dragon pourrait apaiser ce dangereux courroux. Mégaré
fils aîné de Créon, se dévoua pour le salut de sa ville (v. 1303). Un
sortie des Thébains (v. 124) leur donna la victoire, mais les deu
frères s'étaient portés une mort mutuelle; l'épouvante des assiégean
fut telle qu'ils disparurent pendant la nuit (v. 15) sans emporte

leurs morts, à qui la raison d'État faisait interdire de donner la sépulture, interdiction qui devait déchaîner, dix ans plus tard, la revanche des Fils des Sept et, dans l'immédiat, provoquer la désobéissance d'Antigone et l'extinction des Labdacides (v. 10, 1080 et 941).

Un subtil dosage d'éliminations, de remaniements et d'inventions transforme la légende d'Antigone, qui du reste ne remontait pas très haut car les épopées thébaines (*Œdipodie* et *Thébaïde*) n'en faisaient pas mention. Antigone se heurtait à Laodamas, le fils d'Étéocle, furieux de voir son père humilié par les honneurs rendus au cadavre d'un traître (v. 516), et agissant, au nom de « sa » famille, en simple particulier. En faisant venir de plus haut encore que du Sénat (Eschyle), du chef de l'État lui-même l'interdiction d'ensevelir Polynice, Sophocle étend la portée de son drame; et il l'anime d'une vie plus profonde en plaçant les deux adversaires sur deux plans incompatibles : celui de la famille et celui de la cité. Il donne un relief unique à son héroïne en taisant l'intervention d'Argie, la pieuse épouse qui aurait partagé le geste et la captivité d'Antigone, et celle d'Ismène qui, selon Ion de Chios, aurait secondé la piété fraternelle de sa courageuse cadette (v. 41). Les deux sœurs se seraient réfugiées dans un temple d'Héra qui serait celui de Platées, où Laodamas les aurait brûlées vives. Visiblement, Sophocle ne veut pas de complications de ce genre (v. 553 et 580). A dessein, il prolonge la vie d'Hémon, dont il fait le fiancé d'Antigone.

Il sait ne nous donner qu'en son temps le détail significatif (v. 1080 et 1303), effacer au bon moment le personnage indécis (v. 770 et 941), espacer les points de vue voisins (v. 31 et 692) ou divers (v. 31, 504, 29, 205, 1022), ménager les silences : Ismène (v. 13), le chœur (v. 144) et Créon (v. 170), chacun à sa manière, évoquent le « double fratricide »; Antigone n'en parle jamais. Cet art consommé des petits renseignements épars (le prologue contient discrètement tant de choses), n'est-ce pas l'art de montrer l'autre versant de la vie, la réalité, cette somme d'univers personnels où la volonté d'un chef rencontre ici l'approbation ou la réserve des dignitaires, imagine ailleurs une sourde et croissante opposition, ignore les rumeurs de tout un peuple, et résiste tour à tour, ayant trouvé la résistance sous son toit, à sa famille et au clergé? Autour de Créon se meut cette unité plus ou moins douloureuse, plus ou moins hardie, plus ou moins puissante : Thèbes. Elle intervient sans cesse dans le drame (v. 31, 162, 508, 656, 693...) où se joue moins le sort de Créon que celui de ses rois (v. 1172); le poète évoque ses portes et ses orages, son entourage de collines, ses chevaux, ses remparts, ses craintes et sa lueur d'espérance, tout un climat de terreur et de déraison.

Cl. Ber

ISMÈNE. — *Ce n'est pas du mépris, mais je suis de nature*
à ne pouvoir braver l'ordre de la cité.

(Prologue, v. 78-79)

Renée Faure (ANTIGONE)
et Mony Dalmès (ISMÈNE)
Comédie-Française, 19 juin 1951

ANTIGONE

TRAGÉDIE
REPRÉSENTÉE EN 441 AV. J.-C.

CHŒUR DE VIEILLARDS THÉBAINS

LES PERSONNAGES	*LES ACTEURS*	
	Distribution sûre	*Distribution conjecturale*
ANTIGONE [1]	protagoniste	
ISMÈNE...................	deutéragoniste	
CRÉON...................	tritagoniste	
UN GARDE...............	deutéragoniste	
HÉMON...................		deutéragoniste
TIRÉSIAS................		—
PREMIER MESSAGER......		—
SECOND MESSAGER.......		—
EURYDICE...............		tritagoniste

Suite, gardes et serviteurs de Créon.
Enfant conduisant les pas de Tirésias.

La scène est à Thèbes, devant le palais de Créon.

---

1. Sur la signification de ces noms, voir la note 5, p. 45. Ismène, par le seul fait qu'e
porte un nom géographique (voir p. 45, n. 2), est déjà en dehors du drame, ainsi que Tirési
dont le nom évoquerait une fonction religieuse (cf. le verbe sémitique *deresch* (= consul
les dieux ou les fantômes), en parfaite conformité avec le texte de l'*Odyssée* (Chant XI).

ANTIGONE

PROLOGUE[1]

ANTIGONE. — Compagne de mon sort, Ismène, chère sœur [2],
au testament d'Œdipe est-il malheur que Zeus
en nous qui survivons ne rende consommé ?
Car il n'est point de lot de souffrance et d'erreur,
5 d'outrage ni d'affront que n'aient comptés mes yeux
au nombre de tes maux comme au nombre des miens.
Quel est, ce jour encor, l'ordre qu'au peuple entier
vient de faire, dit-on, proclamer le stratège [3] ?
En sais-tu quelque chose, ou si tu n'entends pas
10 monter vers nos amis [4] l'assaut de qui nous hait [5] ?

ISMÈNE. — Sur ceux qui nous sont chers, Antigone, il ne m'est,
heureuse ou malheureuse, arrivé de nouvelle,
depuis que toutes deux nous prive de deux frères
la mort en un seul jour fruit de leurs doubles coups.
15 Je sais qu'ont disparu les troupes des Argiens [6]
dans la nuit qui s'achève [7], et ne sais rien de plus,
ni que le sort me soit plus doux, ou plus cruel.

ANTIGONE. — Je le savais fort bien; aussi, hors du palais
te faisais-je venir pour parler sans témoins [8].

ISMÈNE. 20 Qu'est-ce donc ? Tu parais mûrir [9] un grand dessein.

ANTIGONE. — A l'égard d'un tombeau [10], Créon, face à nos frères,
du droit qu'il donne à l'un ne prive donc pas l'autre ?
Étéocle a, dit-on, de lui [11] sa juste part : [... [12]]
25 une place sous terre et l'honneur chez les morts;
mais aux restes mortels du triste Polynice
Thèbe, à ce qu'on ajoute, en vertu d'un édit
doit refuser la tombe et refuser les larmes,
abandonnés sans pleurs ni tombeau [13], douce proie
30 aux rapaces fondant joyeux sur leur pâture.

---

1. **Prologue:** en trimètres iambiques. — 2. Voir Eschyle, *les Euménides*, v. 89. — 3. Créon. —
4. *Vers* Polynice. — 5. Il s'agit de Créon. Jebb entend : « ... les maux qui ont frappé les
ennemis menacer nos amis. » Ce serait une préparation des v. 1080 et suiv. : la sépulture a été
refusée à tous les Argiens avant de l'être à Polynice. — 6. L'armée des *Sept*. — 7. La pièce
commence donc au lever du jour : voir la v. 100. — 8. Ce vers justifie la présence des jeunes
filles sur l'esplanade du palais. — 9. Traduction d'un mot unique dans tout ce qui nous reste
de Sophocle. — 10. Mot initial dans le vers grec. — 11. Aucune incompatibilité avec les v. 900
et suiv. — 12. Ici, dans le texte grec, un vers interpolé. — 13. Construction en chiasme avec
le vers précédent.

Voilà, dit la rumeur [1], ce que le bon [2] Créon
tant pour toi que pour moi (pour moi, dis-je) publi
et qu'ici clairement à qui n'en saurait rien
il vient crier bien haut, affaire à son avis
35 de si grand intérêt qu'enfreindre un de ses ordres
c'est périr sur-le-champ lapidé par le peuple [3].
Voilà ce qu'il en est, et tu vas te montrer
digne de ta naissance, ou démentir ta race [4].

ISMÈNE.   — Mais s'il en est ainsi, ô cœur trop résolu,
40 que je m'en mêle ou non, que pourrai-je y gagner

ANTIGONE.   — Vois si tu veux ta part de peine et de labeur...

ISMÈNE.   — Et dans quelle aventure ? A quel péril vas-tu ?

ANTIGONE.   — ... et, portant le cadavre, aider la main présente

ISMÈNE.   — Tu veux donc l'enterrer, ce qu'on défend au peuple

ANTIGONE.   -45 A mon frère — le tien, dusses-tu le nier —.
je veux donner la tombe, et me montrer fidèle

ISMÈNE.   — Malheureuse ! et malgré Créon qui l'interdit ?

ANTIGONE.   — Mais il n'a rien à faire entre les miens et moi.

ISMÈNE.   — Hélas ! songe, ma sœur, à tout ce qu'eut d'horrible
50 autant que d'infamant la mort de notre père [5]
quand, ses égarements découverts par lui-même,
lui-même de sa main se creva les deux yeux ;
puis son épouse et mère — elle eut ce double titre —
par un lacet tressé déshonore [6] sa mort ;
55 en un seul jour, enfin, deux [7] frères, s'égorgeant,
dans leur double infortune ont à leur destinée
ensemble mis le fer de mutuelles mains ;
or seules survivant, vois ce qu'aura de pire [8]
ô combien ! notre mort, si, méprisant la loi,
60 nous bravons des tyrans l'édit et la puissance.
Il faut songer, allons [9], que deux femmes nous sommes
et que nous ne pouvons lutter contre des hommes
enfin, que nous plions sous la loi du plus fort
pour entendre et cet ordre et de plus durs encore.

---

1. Il y a communion entre Thèbes et la seule Antigone : voir les v. 23, 27, 692 et suiv. — 2. Ironique : voir le v. 448. — 3. Supplice réservé à ceux qui avaient encouru la haine et l'exécration du peuple, et qu'un usage intermittent devait longtemps maintenir : voir *les Mœurs grecques*, p. 41. — 4. Voir les v. 501, 523 ; 937 et suiv. — 5. Allusion au dénouement d'*Œdipe-roi*. — 6. Présent affectif. — 7. Le texte confronte *un seul* et *deux*. — 8. Le texte grec contient un superlatif affectif ; noter la prolepse, également significative. — 9. Passage aux exhortations pratiques.

⁶⁵ Pour moi, je supplierai ceux qui sont sous la terre
de ne m'en vouloir point, car je ne suis pas libre ;
j'agirai comme ont dit les hommes au pouvoir :
qui franchit sa mesure atteint la déraison.

NTIGONE.　　— Je ne te contrains pas, et même si, plus tard ¹,
⁷⁰ tu désirais m'aider, ce serait sans me plaire.
Fais à ton gré ; mais lui, je l'ensevelirai ².

_____

1. Voir les v. 544-545. — 2. En rejet dans le texte grec.

■■■

● **Les mœurs grecques : la sépulture** — Priver un mort de sépulture c'était
le condamner à errer cent ans sur les bords du Styx, en proie aux pires
tourments (*Iliade*, XXIII, vers 71 et suiv.; *Énéide*, VI). L'histoire
grecque devait donner maints commentaires aux paroles d'Antigone.
En septembre 425, au cours d'un engagement avec les Corinthiens, les
Athéniens n'avaient pu, en fuyant, emporter tous leurs morts et avaient
dû en laisser deux sur le terrain; ils conclurent une convention pour
revenir sur le champ de bataille et prendre les deux dépouilles
(Thucydide, IV, 44).
En novembre 424, après la bataille de Délion, les Thébains voulurent
empêcher les Athéniens d'enlever leurs morts, sous prétexte qu'ils
avaient souillé, en s'y réfugiant, le sanctuaire d'Apollon à Délion
(Thucydide, IV, 87-99). Ce fut l'indignation populaire, et elle n'était
pas encore tombée quand Euripide monta *les Suppliantes* (422 ?).
En 406, après le combat naval des Arginuses, les stratèges, bien que
vainqueurs, furent condamnés à mort pour avoir abandonné quelques
marins tombés à l'eau. C'était donc un sacrilège inexpiable que de
refuser la sépulture à un cadavre.

● **Mesure et démesure : l'hybris** — « Connais-toi toi-même », lisait-on
à l'entrée du temple de Delphes. Cela voulait dire « Connais que tu
n'es qu'un homme », et n'a signifié que plus tard « Sache qui tu es ».
C'était rappeler à l'homme la supériorité des dieux, et lui conseiller la
modestie, ou mesure; l'orgueil, ou démesure, était une sorte de péché
contre l'esprit, une insolence inexpiable nommée encore *hybris*
(= superbe). Le second précepte delphique enseignait la précaution
à prendre : « Rien de trop ». Aucun conseil ne revient plus souvent sur
la lyre de Pindare.
Chacun a naturellement sa façon de faire preuve d'insolence : à la
démesure dans le mal, commise par le tyran (vers 60) ou par un pouvoir
temporel trop exigeant, correspond la démesure dans le bien, commise
par toute résistance qui se réclame d'un pouvoir spirituel trop intran-
sigeant. Cet excès simultané des parties opposées, ces torts partagés sont
essentiellement tragiques.
① « Des deux sœurs, quelle est la plus humaine, la plus vraie ? Évidemment, c'est Ismène. » Que pensez-vous de ce jugement de Masqueray
(*Sophocle*, p. 71) ?
② Comparez l'Antigone de Jean Anouilh et l'Antigone de Sophocle.
Mettez en relief les différences de cadre, de ton et d'esprit.

■■■

Il m'est beau de trouver en ce geste la mort.
Chère je dormirai près de qui me fut cher,
saintement criminelle, car je dois moins longtemps
⁷⁵ plaire aux vivants qu'aux morts, dont je partagerai
pour toujours le repos. Mais, si tel est ton choix,
aux saintes lois des dieux réponds par le mépris.

ISMÈNE.   — Ce n'est pas du mépris, mais je suis de nature
à ne pouvoir braver l'ordre de la cité.

ANTIGONE   -⁸⁰ Allègue ce prétexte. A mon bien-aimé frère
je m'en vais de ce pas élever un tombeau [1].

ISMÈNE.   — Hélas ! infortunée, combien pour toi je tremble !

ANTIGONE.   — Ne crains pas pour mes jours, songe à sauver les tiens !

ISMÈNE.   — Du moins garde-toi bien de rien dire à personne
⁸⁵ Cache bien ton secret, je me tairai de même.

ANTIGONE.   — Non, parle. Tu seras bien plus mon ennemie
si ta voix, se taisant, partout ne le publie.

ISMÈNE.   — Ton cœur est enflammé, ton but glace d'effroi [2].

ANTIGONE.   — Mais je sais que j'agrée à qui plus je dois plaire.

ISMÈNE.   -⁹⁰ Encor faut-il pouvoir, mais tu veux l'impossible

ANTIGONE.   — Je n'arrêterai donc qu'au terme de mes forces.

ISMÈNE.   — C'est erreur qu'un seul pas tenté vers l'impossible

ANTIGONE.   — Tel langage tenir, c'est, en plus de ma haine,
à la haine du mort encourir tous les droits [3].
⁹⁵ Allons, laisse-moi seule avec mon imprudence
affronter le péril : je ne souffrirai rien,
quelle que soit ma mort, qui ne fasse ma gloire
(Elle sort par la gauche [4].)

ISMÈNE.   — Si bon te semble, va. Tes pas, bien qu'insensés [5],
pour ceux que tu chéris font voir un bel amour.
(Elle rentre dans le Palais.)

---

1. Les hémistiches sont inversés dans le texte grec. — 2. Cf. Racine (*Alexandre*, IV, 3)
« Ainsi je brûle en vain pour une âme glacée. » — 3. « Tu reposeras (une fois morte) à
côté du mort, odieuse [à ce même mort]. » Telle est, du moins, l'explication généralement
admise. Mais *proskeisthai*, chez Sophocle, ne signifie jamais « être couché auprès ». Nous avons
préféré voir en ce verbe un des nombreux équivalents poétiques du verbe « être ». — 4. Don
vers la campagne : voir p. 16. — 5. Nous négligeons un hémistiche, au vers 98 : « Pourtant
sache-le bien : tes pas, etc. »

━━━

● **Le prologue**

① Peut-on, à propos de ce prologue, parler de « scène d'exposition » dans le sens où l'entend notre dramaturgie classique (« partie de la pièce de théâtre qui fait connaître tous les faits nécessaires à l'intelligence de la situation initiale », selon Scherer, *la Dramaturgie classique en France*, p. 437)?

② Ce prologue est nécessaire, car Ismène ignore de son propre aveu tout ce qu'elle n'apprend que sous nos yeux. Montrez la portée de cette ignorance (solitude d'Antigone, isolement d'Ismène).

③ Ce prologue est déjà dramatique. Montrez qu'il engage profondément l'action, ne serait-ce que par une peinture à peu près exhaustive des caractères.

● **Les caractères : virilité d'Antigone, féminité d'Ismène**

④ Analysez avec soin la tendresse d'Antigone : ne domine-t-elle pas son premier discours? Complétez cette analyse par l'étude du vers 48, où apparaît un « ton » nouveau, et surtout par celle des vers 73, 87 et 91, qui révèlent toutes les virtualités de cette tendresse.

⑤ Analysez la tendresse d'Ismène; relevez les formules les plus vives; quel langage parle volontiers cette tendresse de sœur aînée? Montrez, en face d'une Antigone stimulée par l'adversité, une Ismène marquée par l'existence et obsédée par ses visions de sang, de honte et de malheur.

⑥ Tendresse et piété d'Antigone : dressez, à l'aide des vers 74 et 75, son échelle des valeurs.

⑦ Indifférence et passivité d'Ismène (vers 12 et 17). Rien d'étonnant si sa piété (v. 65) s'arrange des exigences du Pouvoir.

⑧ Antigone ne parle-t-elle pas un langage « cornélien »? Sa situation et son rôle, son culte de la « justice » ne présentent-ils pas de curieuses analogies avec le personnage d'Émilie (Corneille, *Cinna*)?

⑨ Cette tendresse et cette piété parlent parfois le langage de la dureté. Relevez les diverses formules de l'idéalisme et de l'intransigeance d'Antigone; de son ironie (encore un trait « cornélien ») à l'égard des faibles et de ses ennemis; et sa façon, significative chez une « enfant », de mettre une âme commune en face de ses responsabilités et de ses torts (vers 41 et 71).

Le réalisme d'Ismène paraît inspiré par la prudence. Par la mesure aussi : elle a un sens de la prééminence masculine qui l'oppose à sa sœur et annonce discrètement un des grands thèmes de la tragédie.

━━━

LE CORYPHÉE
(G. Baconnet).—
*Sur notre sol
l'amenait
Polynice...*
(Parodos, v. 110)

Comédie-
Française
1959

Georges Wilson (CRÉON) et Jean Mauvais (LE GARDE)
T.N.P., octobre 1960

LE GARDE.—*Eh bien, je vais parler.* (Épisode I, v. 245)

Clichés Bernanan

PARODOS

LE CHŒUR [1]

100   *Soleil radieux, le plus beau*
       dont jamais sur Thèbe aux Sept Portes
       ait la lumière resplendi,

       Tu luis enfin, œil du jour d'or,
105   *tu brilles au-dessus*
          des sources dircéennes [2].

       Le guerrier d'Argos à bouclier blanc [3]
          venait armé de toutes pièces ;
       tu l'as mis en fuite avec ses chevaux
          plus vite qu'il n'avait paru.

LE CORYPHÉE. - 110 Sur notre sol [4] l'amenait Polynice
          empli du feu de querelleuses noises [5] ;
          et lui, poussant de perçantes clameurs,
          aigle, il fondait sur notre territoire.
             De neige blanche était son envergure :
115   nombreuse armée, heaumes ornés
             d'une crinière chevaline.

LE CHŒUR [6]

       Il planait au-dessus des murs ;
       le cercle sanglant de ses lances [7]
       enserrait la Ville aux Sept Portes.

---

1. **Parodos,** première strophe : rythme vif et joyeux. — 2. La source de Dircé (voir p. 34) serait celle qui jaillit d'une petite grotte au sud-ouest de la Cadmée, l'acropole de Thèbes. Elle donna naissance à un ruisseau du même nom qui longe le flanc ouest de cette citadelle. L'Isménos coule parallèlement au ruisseau de Dircé, le long du flanc est, mais en dehors des remparts. Le soleil se lève donc en réalité sur l'Isménos ; mais au fleuve, Sophocle a préféré la source, en raison de sa célébrité. — 3. Les Argiens portaient des boucliers blancs : *Argos* est de la famille du mot *argent* ; la ville et le métal évoquent la même idée de blancheur. — 4. **Mélodrame** parlé par le Coryphée. — 5. Le texte grec comporte un jeu de mots que nous avons essayé de rendre : *neikon* (= noises) rappelle Polynice (*Poly-neikès* = l'homme aux multiples querelles). Les Grecs étaient persuadés qu'il existait un lien entre le nom de personne et sa destinée. *Étéocle* serait ainsi « le Vrai », « l'Exact » ou « le Fidèle » ; *Antigone*, « la Rebelle » ; *Créon*, « le Pouvoir » ; *Hémon*, « le Sanglant ». — 6. **Antistrophe I.** — 7. Assimilées aux serres du monstre.

120 *Il a fui sans que de mon sang*
     fût sa soif assouvie,
     sans qu'à mon front les tours

des torches en feu devinssent la proie,
     car retentit derrière lui [1]
125 *le fracas d'Arès* [2], *qui rend inutile*
     toute résistance au Dragon.

LE CORYPHÉE. — Zeus en horreur a surtout la jactance
     au verbe altier ; et comme il avait vu
     fondre sur nous ce grand déferlement,
130 fier de l'éclat de son armure d'or,
     il prit sa foudre, et l'éclair foudroya
        au sommet des créneaux celui [3]
        qui déjà se clamait vainqueur.

LE CHŒUR [4]

Sur le sol retentissant il tomba, nouveau Tantale [5],
135 *celui qui, porteur de flamme, en de furieux élans,*

        dans son délire lançait
        ses jets d'ouragans mortels.

        Ainsi chut-il de son côté ;
        les autres churent du leur, victimes du grand Arès,
140   *sous le choc de son coursier* [6].

LE CORYPHÉE. — Sept capitaines aux sept portes placés [7],
     sept contre sept, à Zeus Victorieux
     offrent tribut de leurs armes d'airain,
     sauf deux hélas ! qui, fils du même père
145 et d'une seule mère, ont dirigé
     l'un contre l'autre leurs armes souveraines

---

1. C'est une sortie des Thébains qui a rejeté les Argiens loin des murs. — 2. *Arès* est un dieu thébain. Pour l'allusion au dragon, voir p. 33 ; pour le combat de l'aigle et du dragon, cf. Homère, *Iliade*, XII, v. 201. — 3. Capanée, le chef argien le plus redouté, avait déclaré que le tonnerre de Zeus n'était guère qu'une manière de chaleur solaire. — 4. **Strophe II**, sur un ton plus vif encore que la première. — 5. Ancien souverain de Phrygie (voir les v. 824-825), mort foudroyé. — 6. « Destrier » serait la traduction idéale ; en fait, il s'agit du cheval de droite dans l'attelage d'un quadrige ; comme les chars tournaient la borne à gauche, ce cheval, qui devait parcourir le plus d'espace, devait être le plus alerte. Sur la richesse de Thèbes en chars et en chevaux, voir les v. 149 et 845. — 7. A la porte Électre, Capanée contre Polyphonte (Capanée avait pour emblème, sur son bouclier, un homme nu, porteur d'une torche enflammée et proclamant en lettres d'or qu'il incendierait la ville : v. 135) ; à la porte Proïtide, Tydée contre Mélanippe ; à la porte Néite, Étéocle (ne pas confondre avec le héros thébain) contre Mégarée ; à la porte Athéna-Onka, Hippomédon contre Hyperbios ; à la porte du Nord (tombeau d'Amphion), Parthénopée contre Actôr ; à la porte Homoloïs, Amphiaraos contre Lasthène ; à la Septième Porte, Polynice contre Étéocle.

et trouvé mort commune
dans les bras l'un de l'autre.

▬▬▬▬▬▬▬▬▬▬▬▬▬▬▬▬▬▬▬▬▬▬▬▬▬▬▬▬▬▬▬▬▬▬▬▬

● **La parodos : aspect dramatique** — Le chœur se compose de vieillards; étymologiquement, c'est un Sénat. Se les représenter nobles et pleins de majesté. Corps officiel, ils seront les premiers à reconnaître à Créon une sorte de droit divin (v. 157), et les seuls à lui donner, et sans cesse, le titre de *Roi*. Cette *assemblée* (v. 159) ne sait que ce que savait Ismène (sauf, naturellement, le détail des opérations militaires), car l'assemblée est coupée de la population.

Quelle sera l'attitude de ce Sénat mal informé, en face du *bon* et puissant (v. 31 et 63) souverain ?

● **La parodos : aspect lyrique**

① « Le document céleste » (Paul Claudel). On notera le caractère largement humain des thèmes : amour de la lumière, des « rendez-vous » guerriers (épopée); joie de la victoire, et de la paix retrouvée. Un peuple en liesse fête sa délivrance.

② Composition. Étudiez les correspondances entre la strophe I et l'antistrophe II. Dans l'intervalle, un « récit » lyrique des phases du combat, et une seule sentence (v. 127-128).

③ Mouvement. Comment se marque l'enthousiasme dans la comparaison de l'aigle et de l'armée? Montrez que la lutte prend l'ampleur et la sauvagerie d'une lutte entre forces naturelles, ou entre géants. Par quels moyens, le poète rend-il sensible la dispersion de cette mêlée épique et cosmique? Étudiez la stylisation de l'action de grâces des Sept de Thèbes à leur dieu tutélaire, de l'absence des Frères Ennemis, et de l'action de grâces de toute la ville à tous les dieux.

La parodos devait être un régal littéraire : on y retrouve des souvenirs d'Homère, mais aussi d'Hésiode (*Théogonie*), de Pindare et, naturellement, d'Eschyle.

Elle devait émouvoir les Athéniens : comment écouter ce récit sans évoquer Marathon et Salamine, et d'abord l'expédition d'Eubée, à propos de laquelle Platon (*Lois*, 698 c) parle de 500 000 hommes envoyés contre Érétrie? Évoquant la bataille de Salamine, Eschyle parle de l'« afflux des forces perses » (*Perses*, v. 412); c'est le mot (*rheuma*) dont se sert Sophocle pour le « déferlement » argien.

Voici comment l'Électre de Giraudoux parle de son frère endormi au mendiant (acte II, sc. 1) : « Puisqu'il a été créé pour rire aux éclats, pour bien s'habiller, puisqu'il est un pinson, Oreste, puisqu'il va se réveiller pour toujours sur l'épouvante, je lui donne cinq minutes. »

Comparé à ce « répit » de « cinq minutes » le chant du chœur n'est-il pas une véritable éclaircie dans un ciel tragique ? Les Athéniens durent aimer cette éphémère clémence des dieux.

▬▬▬▬▬▬▬▬▬▬▬▬▬▬▬▬▬▬▬▬▬▬▬▬▬▬▬▬▬▬▬▬▬▬▬▬

LE CHŒUR [1]

Mais l'éclatante Victoire à Thèbes aux mille chars
vient rendre amour pour amour : si la guerre est terminée,

150   *oublions-la maintenant ;*
      par tous les temples des dieux

      cette nuit portons nos danses [2]
et que Celui dont les bonds font trembler le sol de Thèbes,
      Bacchos [3]*, à nos chœurs préside !*

LE CORYPHÉE. —[155] Voici venir le roi de ce pays,
      et c'est Créon, le fils de Ménécée [4],
      sacré ce jour par le vouloir des dieux.
      Dans son esprit quel dessein forme-t-il,
      qu'il ait mandé l'assemblée des vieillards
160   et d'un ordre   commun
      nous ait fait appeler ?

---

1. **Antistrophe II.** — 2. Il s'agit de danses successives, de temple en temple. — 3. Sur ce dieu thébain par excellence, honoré dans sa métropole sous la forme d'une simple colonne et dont les fêtes se déroulaient surtout la nuit avec un éclat extraordinaire, voir les pages 6-8 et le stasimon V, avec les notes. — 4. Périphrase significative : Créon n'est pas un Labdacide ; il est cependant de souche royale. On se le représentera fort avancé en âge : le v. 1023 a certes une valeur spirituelle, mais aussi, selon nous, une valeur pittoresque.

ÉPISODE I

CRÉON.

    — Thébains, notre cité sort debout, grâce aux dieux,
des flots tumultueux qu'ils avaient déchaînés [1],
et c'est vous qu'entre tous j'ai, par mes émissaires,
165 en ce lieu rassemblés. Car je sais que toujours
vous avez vénéré le trône souverain
de Laïos, puis d'Œdipe, au temps qu'il était roi,
et que, lui disparu, leurs [2] descendants encore
ont sans cesse trouvé vos sentiments fidèles.
170 Maintenant qu'un seul jour, par un double destin,
les a vus succomber et frappant et frappés
sous le choc mutuel d'un fratricide impur,
je détiens pleinement la puissance et le trône,
en fort proche parent de ceux qui ne sont plus.
175 Or au fond de nul homme il n'est moyen de lire
son âme, ni son cœur, ni son esprit, avant [3]
que charges et pouvoirs, l'éprouvant, le révèlent.
Quant à moi, celui qui, dirigeant un État,
des meilleurs ne s'attache à suivre les conseils,
180 et de quelque terreur tient sa langue captive,
fut et reste à mes yeux le pire des méchants;
et qui, se trouvant face à sa même patrie,
lui préfère un ami, je le tiens pour néant [4].
Pour moi — m'entende Zeus [5] qui voit tout et sans
                      [cesse] —
185 je ne me tairais pas si l'Erreur, sous mes yeux,
assaillant [6] nos maisons en chassait le salut,
et, d'ami, jamais homme hostile à ma patrie
n'aurait place en mon cœur, car, je le sais trop bien,
d'elle vient le salut, qui, sous ses passagers
190 bien droit tenant la mer, de sûrs alliés s'entoure [7].
    Ces principes, sous moi, feront l'État prospère,
et c'est dans cet esprit que j'ai fait proclamer
un ordre à la cité touchant les fils d'Œdipe.

---

1. Image naturelle chez un peuple de marins : voir les v. 586-592, 715-717, 994. — 2. Les escendants de toute la dynastie. — 3. Sophocle offre une quantité de contre-rejets de cette orte, si rarement sensibles pour le lecteur français. — 4. Voir les v. 567 et 1325. — 5. Voir es v. 2 et 4 : Créon fera un serment par discours. — 6. Voir le v. 10. — 7. Les v. 175-190 sont ités par Démosthène (*Sur l'Ambassade*, 246-247).

Étéocle [1], tombé défenseur de la ville
195 après avoir partout signalé sa vaillance,
aura la sépulture et toutes les offrandes
qui s'en vont sous le sol aux mânes des héros.
Quant à sa proche race, entendez Polynice,
en qui le sol natal et les dieux de chez nous
200 n'ont revu qu'un banni qui les voulait [2] au feu
livrer de fond en comble, et qui voulait [2], de sang [3]
du sang des siens gorgé, vous emmener esclaves
ordre par mes hérauts enjoint de le priver,
la ville d'une tombe, et quiconque, de pleurs ;
205 qu'il soit sans sépulture, et, cadavre en pâture
aux chiens comme aux oiseaux, spectacle d'épouvante
Voilà mon sentiment [4], et du moins de mon fait
jamais aux criminels n'ira la part des justes [5] ;
mais tout bon citoyen recevra de ma main,
210 qu'il succombe ou qu'il vive, égale part d'honneur

LE CORYPHÉE[6]. — Ainsi te plaît, Créon, ô fils de Ménécée,
de traiter l'ennemi [7] et l'ami de la ville ;
tu peux assurément faire à ton gré la loi
aussi bien sur les morts que sur toutes nos vies

CRÉON. — 215 Je vous commets de garde au respect de mes ordres

LE CORYPHÉE. — Charge de ce fardeau de plus jeunes que nous.

CRÉON. — Mais pour garder le mort des hommes sont en place

LE CORYPHÉE. — Alors, que pourrais-tu nous enjoindre de plus ?

CRÉON. — De ne céder en rien à qui serait rebelle.

---

1. Ce nom est toujours en tête de vers ; *Polynice* (v. 198) formait toujours les quatrième e
cinquième pieds du trimètre (cf. les ennuis de Corneille avec le nom de *Cléopâtre* dan
Rodogune). — 2. Anaphore. — 3. Le mot n'est pas repris dans le texte grec, ou
il figure en contre-rejet au v. 201. — 4. Voir le v. 176. — 5. Voir le v. 516. — 6. C'est I
Coryphée qui répond généralement pour le chœur dans les dialogues. — 7. Ce mot repren
criminels du v. 208. Mais Créon perçoit-il la nuance ?

■■

● **Le discours du trône**
Créon fait habilement le point de la situation politique, expose le
principes de son gouvernement, et en présente au Sénat les première
applications : il a soin de terminer sur une promesse de récompenses

① Dégagez le thème principal et les thèmes secondaires, ainsi que les mots-clefs de ce discours, les différences de ton, l'art et surtout le souffle (composition, figures, images, mouvement, rythmes et périodes). L'éloquence (*euépéia*) comporte deux variétés en grec : la « force » (*deinotès*) et le « charme » (*psychagogia*). Quel est le registre de Créon?

② Dégagez l'aspect dramatique de cette éloquence : autant que sur Créon n'attire-t-elle pas l'attention sur un personnage invisible, en train de braver toute cette proclamation au péril de sa vie?

③ Dégagez l'aspect tragique et pathétique du serment de Créon (vers 184-190).

● **Qui est Créon?**

Il y a lieu de distinguer les principes et l'homme.
Créon ne fait appel qu'à des principes politiques éprouvés, comme le respect du trône, la fidélité à une dynastie, le dévouement du chef à la cité, l'unité de l'État, la priorité de l'intérêt général sur l'intérêt privé, la haine de la corruption. Après une Fronde aussi périlleuse que celle que vient de traverser Thèbes, son discours ne manque ni de sens politique, ni de courage, ni de grandeur, ni de vérité. Du reste, en grec, « État » (*Polis*) signifie aussi « pays libre » et « démocratie »: Platon (*République*, III) réclamera lui-même l'unité de l'État sur un ton non moins catégorique; Démosthène cite Créon. Les principes de Créon ne sont donc nullement répréhensibles en eux-mêmes. Ils ne peuvent cependant valoir que ce que vaut l'homme.

Reconnaissons d'abord à Créon de remarquables qualités d'homme d'État : orateur-né, il est intègre (n'oublions pas qu'il a volontairement abdiqué en faveur de celui qui devait délivrer de la Sphynge le pays); il a le sens des responsabilités, il sait donner l'exemple (v. 175-206); s'il punit, c'est sans esprit de vengeance, sans en vouloir à l'âme ni au repos éternel de Polynice, simplement pour prévenir toute tentative de haute trahison. C'est un « tyran », issu des périls de l'État, sincèrement dévoué à ses concitoyens, et assurément ami des « lois de la nature » ou de ce qu'il prend pour tel (v. 481).

Le malheur est que Créon, victime de l'exercice du pouvoir absolu, l'est encore de son tempérament : sept fois au moins, dans le texte grec, il met en avant son « moi »; trop sûr de lui, il croit trop qu'il est l'homme providentiel, celui que les dieux ont sacré (v. 157) quand il leur a plu (v. 162) de tirer la cité de ses épreuves. Cette tendance à la démesure se reconnaît dans les intentions atroces qu'il prête à Polynice.

④ Comparez ce que dit Créon et ce que dit le Chef de Saint-Exupéry dans *Citadelle* (Pléiade, p. 525) : « Je suis le chef. Et j'écris les lois et je fonde les fêtes et j'ordonne les sacrifices, et, de leurs moutons, de leurs chèvres, de leurs demeures, de leurs montagnes, je tire cette civilisation semblable au palais de mon père où tous les pas ont un sens... Je suis le chef. Je suis le maître. Je suis le responsable. Et je les sollicite de m'aider. Ayant bien compris que le chef n'est point celui qui sauve les autres, mais qui les sollicite de le sauver. »

LE CORYPHÉE. — ²²⁰ Il n'est d'homme assez fou pour désirer la mor

CRÉON. — Oui, tel serait le prix. Mais le désir du gain
par l'espoir qu'il fait naître a perdu bien des homme

LE GARDE. — Sire, point ne dirai qu'à force de vitesse
hors d'haleine j'arrive, agile et prompt courrier.
²²⁵ Souvent l'inquiétude a suspendu mes pas,
et rebroussant chemin je faisais demi-tour ².
C'est que mon cœur souvent me tenait ce propos
« Las ! à quoi bon tout droit courir au châtiment
» Mais t'arrêter, mon pauvre ? et si la chose arriv
²³⁰ » à Créon par un autre, à quoi ne pas t'attendre ?
De tels retours sur moi redoublaient ma lenteur
ainsi un bref parcours devient un long trajet.
Mais de poursuivre enfin le parti l'emporta.
Même si c'est pour rien, je n'en dirai pas moins,
²³⁵ car tout l'espoir auquel j'aborde cramponné ³,
C'est qu'on ne me fera que ce qui est écrit.

CRÉON. — Quelle est donc la raison d'un pareil désarroi ?

LE GARDE. — C'est de mon cas, d'abord, que je veux te parler :
je n'ai pas fait le coup, ni vu qui le faisait,
²⁴⁰ et c'est injustement que mal m'en adviendrait.

CRÉON. — Vraiment, tu sais viser ⁴. Tu garnis bien la chose,
apparemment porteur d'un étrange message.

LE GARDE. — C'est que danger, pour sûr, inspire forte craint

CRÉON. — Finiras-tu par dire, avant de t'en aller ?

LE GARDE. — ²⁴⁵ Eh bien, je vais parler. Le mort, quelqu'un vient just
de l'enterrer, puis s'est sauvé, l'ayant couvert
d'une fine poussière, et tout selon les rites.

CRÉON. — Que dis-tu ? Quel nom porte un tel audacieux ⁵

LE GARDE. — Je ne sais : pas trace de bêche dans la terre,
²⁵⁰ ni trace de hoyau ; du vrai ciment, le sol,
dur, sec, sans une fente, et sans trace de roues
de char : l'auteur du coup ne l'avait pas signé.
Quand le premier de garde, au jour, nous a fait voi
nous avons tous été saisis, la mort dans l'âme.

---

1. Aristote a loué cet exorde. — 2. Pléonasme significatif. — 3. Métaphore de naufragé : voir l
v. 162-163. — 4. Métaphore caractéristique : la bonhomie ne doit être qu'apparente ; voir
vers 1033. — 5. Masculin significatif.

255 Le corps disparaissait; sous un tombeau? non point,
non, quelques grains de sable évitaient la souillure [1].
Nulle empreinte de fauve, et pas une de chien;
aucun n'était venu [2] ni ne l'avait touché.
Alors, d'un bord à l'autre éclatant en injures,
260 un garde accusait l'autre, on en venait aux coups,
personne n'étant là pour nous les interdire.
Tour à tour tout le monde était l'auteur du coup,
mais pas un [3] à vrai dire, et tous de s'en défendre.
Nous étions prêts à prendre à la main le fer rouge [4],
265 à traverser des flammes, à jurer par les dieux
que nous n'avions rien fait, et ne connaissions rien,
pas plus l'inspirateur que l'auteur de la chose.
Enfin, comme l'enquête à rien n'aboutissait,
un parle, qui courba vers le sol tous les fronts
270 accablés par la peur, car nous n'étions à même
ni de lui répliquer ni, si nous l'écoutions,
de nous en trouver bien. Il disait qu'il fallait
t'instruire de la chose et ne t'en rien cacher.
Ce parti l'emporta. Je suis le malheureux
275 que condamne le sort à cette bonne aubaine.
Me voici. Malgré moi. Malgré vous, je le sais :
car nul n'aime un porteur de mauvaises nouvelles.

LE CORYPHÉE. — Prince, l'événement ne vient-il pas des dieux?
C'est ce que mon esprit dès longtemps se demande.

CRÉON. ──280 Tais-toi, n'éveille pas mon courroux par tes mots,
garde de te montrer stupide autant que vieux.
Tu soutiens l'impossible en disant que les dieux
au sujet de ce mort prennent quelque souci.
Quoi [5]! l'entourant d'honneurs ainsi qu'un bienfaiteur,
285 accordaient-ils la tombe à qui venait brûler,
outre les colonnades, le temple et ses trésors [6],
et leur terre et leur culte aux quatre vents jeter?
Où vois-tu donc les dieux honorer les méchants?

---

1. Selon la loi athénienne, « ceux qui voient un mort sans sépulture et ne répandent pas sur
i de la poussière passent pour sacrilèges ». Le Garde donne au mot *pheugontos* (= « fuyant »)
place centrale dans le vers : pour lui, l'inconnu a eu peur, en même temps, du sacrilège et de
gendarmerie; il a agi « à la sauvette ». — 2. Signe évident de la protection divine. — 3. Il y a
hiatus dans le texte grec. — 4. A subir l'épreuve judiciaire, l'ordalie. — 5. Ce mot n'est pas
ans le texte. C'est l'équivalent de l'asyndète ou absence de particule de liaison entre deux
rases, si rare en grec. — 6. Créon a en vue les temples de l'époque classique, appelés péri-
ères (comme le Parthénon, voir le schéma, p. 56).

Mais non. Depuis longtemps irrités par l'édit,
290 des Thébains murmuraient contre moi, secouant
leurs têtes en secret, sans vouloir à leur col
subir le juste joug et se soumettre à moi.
C'est par eux, je le sais fort bien, c'est pour leur
que les gardes séduits ont fait ce qu'ils ont fa
295 L'homme n'a rien trouvé de pire que l'argent :
une institution qui détruit les cités,
qui loin de leurs foyers chasse les exilés ;
un maître qui répand le trouble au cœur des just
et les pousse à mal faire : il apprit aux humai
300 la pratique du crime, et à toute œuvre impie
sut les initier. Ceux qui, pour de l'argent,
commirent ce forfait ont agi de façon
qu'un jour, avec le temps, ils en rendront justice.
S'il est vrai qu'en honneur je tienne encore Zeu
305 écoute bien ceci, dont je fais le serment :
si vous ne trouvez pas, si vous n'amenez pas,
là, sous mes yeux, l'auteur de cette sépulture,
la mort aggravera pour vous son appareil :
pendus vifs, vous direz d'abord qui fit le crim
310 afin que désormais vous sachiez n'accepter
de gain que légitime, et que vous appreniez
qu'il ne faut pas aimer n'importe quel profit [...]

LE GARDE.   -315 Me laisseras-tu dire, ou faut-il rompre ainsi ?

CRÉON.   — Ne sais-tu pas encor combien ta voix m'irrite ?

LE GARDE.   — Les oreilles ? le cœur ? Où se fait la morsure ?

CRÉON.   — Sur l'endroit de mon mal quel esprit viens-tu fair

LE GARDE.   — Au cœur, c'est le coupable ; aux oreilles, c'est m

CRÉON.   -320 Ah ! vraiment, mais tu es le caquet en personn

LE GARDE.   — Au moins ce n'est pas moi qui suis l'auteur du cou

---

1. Ici se placent deux vers condamnés par Bergk. Quand on sait le soin apporté par Sophoc
au mouvement et au mot de la fin, on peut observer que le discours se termine comme il
doit, au v. 312. Dindorf est de cet avis qui est aussi celui de Tournier.

■■

● **Le drame, la vraisemblance** — La vraisemblance reste sauve : très t
dans la nuit, Créon a pu avoir l'idée de son édit, et poster des gard
autour de Polynice. Dès la fin de la nuit (v. 16 et 99), Antigone s'e
rendue auprès du cadavie pour lui rendre les honneurs funèbres. Comm

elle n'a fait qu'un court trajet (v. 232), et que l'amour fraternel et le respect des dieux excitent sa marche, elle a eu le temps d'arriver, avant l'aube; la découverte a dû être immédiate : vers 253.

① Le Garde : relevez les tics de langage de cette figure populaire. Analysez son fatalisme, son égoïsme, sa peur des coups et son instinct de conservation; remarquez à ce propos la place qu'il sait donner aux déclarations qui lui importent le plus (v. 239 et 321). Tout cela compose-t-il une figure vivante?

● **Le mélange des genres : comique ou familiarité?**

A peine la défense de Créon est-elle promulguée qu'elle est enfreinte, et cette désobéissance va littéralement jeter un homme du peuple entre le Prince et le Sénat. Il y a là une place possible pour le comique de situation. Il n'en reste pas moins que le Garde est un pauvre homme qui risque sa vie, et qui le sait, et qui tremble de tous ses membres pour avoir manqué à la consigne, dont il ne met pas en doute le bien-fondé. C'est sous le signe de la peur que doit se jouer ce mouvement; mais la peur naïve des petits ne saurait parler le même langage que celle des grands, qui se cache sous la dignité du maintien : le Sénat éprouve une telle crainte qu'il ne se hasardera pas, même à la fin de la tragédie (v. 1259), à dire au Maître la vérité.

● **Les progrès d'une démesure :**

Violence — Créon règne depuis la veille, et il prétend, avec une mauvaise ironie à l'égard du chœur dont il reprend les paroles (v. 279), être « depuis longtemps » (v. 289) victime des manœuvres de l'opposition; il prétend à nouveau que Polynice venait mettre le pays à feu et à sang — ce qui est difficilement concevable — et il confond *ennemi* et *méchant*.

Méfiance — Il se méfie des puissances d'argent, mais cette méfiance tournera peu à peu à l'obsession; et il ne tardera pas à mettre au point la plus inique des « lois des suspects » (v. 294 et 322). Avec son invention de supplices inouïs, le personnage semble une version tragique des grands maniaques de Molière.

Orgueil — Créon a promulgué son ordonnance dans un complet oubli des « lois établies », mais sans arrière-pensée, sans en vouloir à l'âme de Polynice; il assimile maintenant à ce décret la loi naturelle par excellence (v. 481), et il en arrive à penser que le droit c'est le régime, et que le régime, c'est lui.

Impiété — Il rabroue avec brutalité le chœur des vieillards, et se réfugie derrière une notion, sincère mais étroite, de conformisme. C'est l'homme de la « lettre », et non de l'« esprit ».

② Montrez comment Antigone sort grandie de cet épisode d'où elle paraît absente : voir les vers 248 et 325.

③ Montrez, dans l'*Antigone* de Jean Anouilh (Table Ronde, p. 49-68), la portée de la suppression du sentiment religieux.

④ Que pensez-vous de la transposition du Garde en agent de police, et, d'une façon générale, de la modernisation de la mise en scène?

CRÉON.
— Si, et pour de l'argent : tu as livré ta vie.

LE GARDE.
— Hélas[1] !
étrange ! croire voir, et voir ce qui n'est pas.

CRÉON.
— Fais des mots sur mes visions, mais sous mes yeux
325 vous mettrez les coupables[2], ou bien vous avouerez
que le gain mal acquis ne produit que tourments.
(Créon rentre dans son palais.)

LE GARDE.
— Ah ! oui, qu'on le retrouve avant tout, celui-là !
Mais qu'on le prenne ou non (car tout dépend du Sort),
il n'y a nul danger qu'ici tu me revoies ;
330 et maintenant, sauvé contre toute espérance,
c'est un joli merci que je dois à nos dieux
(Il sort.)

---

1. Ce mot est en dehors du rythme, dans le vers grec, et constitue, ainsi placé, un élément de réalisme. — 2. Passage significatif du singulier au pluriel : Créon est à cent lieues de penser que la désobéissance vient d'une seule personne et, plus étrange encore, d'une jeune fille.

Temple périptère

Voir le vers 286
et les photos p. 4

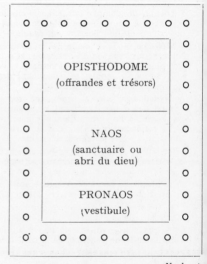

Nord ⟶

STASIMON I

LE CHŒUR [1]

De mille merveilles, merveille
entre toutes se dresse l'homme :

à travers la mer blanchissante
35 *aux rafales du vent du Sud il s'avance, il passe au milieu*
du surplomb d'ondes mugissantes.

La Déesse-Mère, la Terre [2]
incorruptible, inépuisable,

il la travaille de charrues
40 *qui vont et viennent chaque année, car pour la retourner il a*
des bêtes de gent chevaline [3].

La race des oiseaux légers,
il la capture dans ses pièges;

poissons de la mer bondissante [4]
45 *et hardes de bêtes des bois, aux plis de ses filets tressés*
les capture l'homme inventif.

La ruse lui soumet le fauve
à travers plaines et montagnes;

50 *au col chevelu du cheval*
il passera le double joug, que de son côté recevra
le sauvage taureau des monts.

Langage, aile vive, ô pensée [5],
55 *principes fondateurs de villes, il a maintenant tout cela;*
comme il sait fuir sous le ciel même

et l'importunité du gel
et les traits importuns des pluies.

---

1. **Stasimon I :** animé. — 2. Survivance populaire, et toujours vive, d'une croyance préhellé-
ique. — 3. Des mules, « cent fois préférables aux bœufs pour tirer la charrue en bois » (*Iliade*, X,
. 325). — 4. Ce membre vient en second lieu dans la période, mais il importait de sauver la
ymétrie des deux *mer* du chant sophocléen : voir le v. 335; voir aussi les v. 353 et 364.
. — **Strophe II :** plus large.

360
        Tête féconde, et non stérile [1],
        il   sait   affronter l'avenir.

        Hadès [2] *seul reste inévitable.*
Or, atteint du mal le plus grave, on le voit, l'homme trouve remède
        à force de subtilité [3].

        Don des arts, mystère, ô génie
365 *riche au delà de tout espoir! ou vers le mal ou vers le bien,*
        il confond les lois de la terre

        et le droit qu'il a fait serment,
        devant les dieux, de respecter.

370
        Grand, mais rebut de la cité,
        qui du mal se fait un ami

        pour satisfaire son audace.
Puisse-t-il ne s'asseoir jamais à mon foyer ni dans mon cœur,
375   *celui qui tel crime commet!*

        (Entre le Garde, poussant devant lui Antigone.)

---

1. Ponctuation Tournier. — 2. La mort. — 3. Sur l'intérêt du vieux Sophocle pour tout ce qui regarde la médecine, voir p. 25, à la date de 421.

● **Le chœur : aspect dramatique**

① Montrez que le thème du chœur a été fourni par Créon (v. 296) et que les conseils de mesure sont judicieusement adaptés au « discours du trône », où apparaissait un « bon » tyran, uniquement occupé de problèmes temporels et, en filigrane, féru de « progrès » technique.

② Montrez que la question du « salut » est à nouveau expressément posée sur le plan moral et « spirituel », et que la liaison est assurée avec l'épisode II.

③ « Morceau lyrique... d'une belle poésie sans doute, mais d'un caractère et d'une intention assez vagues. » Que pensez-vous de ce jugement porté en 1842 par Henri Patin ?

④ Montrez que les dignitaires sont restés prudents : on ne sait qui ils condamnent, de Polynice, de « celui » qui l'a enterré (Mazon) ou de Créon ; mais au delà de leurs hésitations ils parlent comme « lui ».

● **Le chœur : aspect lyrique**

⑤ Très différent de la parodos, qui était un « récit », ce stasimon contient un enseignement : montrez qu'il est cependant aussi peu didactique que possible ; cette logique, impalpable mais inattaquable, rappelle Pindare.

⑥ Étudiez la composition et les proportions du stasimon, le plan détaillé du premier mouvement, les rappels de mots, nombreux et subtils. Pourquoi Sophocle était-il tenu à cette virtuosité de bon aloi ?

⑦ Pour la profondeur et la sincérité de l'accent, étudiez les rapports entre ce chœur et le système dramatique de Sophocle (voir p. 20-22).

● **L'« humanisme » de Sophocle**

⑧ Il se peut que ce chœur contienne des allusions discrètes à Protagoras, alors en pleine « acmé ». La formule de ce penseur était : « L'homme est la mesure de tout : de l'Être en tant qu'il est, du Néant en tant qu'il n'est pas. » Mais cette première manifestation de la « religion de l'Homme » est en rapport avec les convictions démocratiques de Protagoras, qui ne regarde comme juste que ce qui est établi par les lois positives, et néglige la loi naturelle. Sophocle, au contraire, annoncerait Platon selon qui (*Lois*, IV, 716) « Dieu est pour nous la mesure des choses ». L'accord peut-il se faire, entre les diverses familles humanistes, sur un vers de notre stasimon ?

ÉPISODE II

LE CORYPHÉE. — Prodige immense, et dont mon âme doute,
mais le moyen de démentir mes yeux ?
celle qui vient, c'est la jeune Antigone.
O malheureuse enfant d'un malheureux,
380   enfant d'Œdipe, d'Œdipe [1]...
Qu'arrive-t-il ? Dis, ce n'est pas rebelle
aux lois du roi que l'on t'amène,
en un geste dément surprise [2] ?

LE GARDE [3]. — La voilà, la coupable ! Et par nous prise en train
385 d'enterrer le cadavre. Où donc se tient Créon ?

LE CORYPHÉE. — Le voici qui revient à propos du palais.

CRÉON. — Qu'est-ce donc ? Quel destin ramène à temps mes pas ?

LE GARDE. — Sire, un homme ne doit faire serment de rien,
car la seconde idée efface la première :
390 je comptais ne jamais remettre ici les pieds;
tes menaces m'avaient mis l'ouragan dans l'âme.
Mais la joie imprévue, la joie inespérée
ne peut se comparer avec aucun plaisir.
Je reviens, bien qu'ayant juré de n'en rien faire;
395 j'amène cette enfant, prise à clore une tombe.
Pas besoin, cette fois, de consulter le sort :
l'aubaine était à moi, rien qu'à moi, cette fois.
Or, Sire, la voici : tiens-la; fais à ton gré;
interroge, confonds. Pour moi, me voilà quitte,
400 en règle, hors de cause et de ce mauvais pas.

CRÉON. — Tu l'amènes, dis-tu... Comment, où l'as-tu prise ?

LE GARDE. — A enterrer le mort de ses mains : voilà tout.

CRÉON. — Pèses-tu bien tes mots ? Sais-tu bien ce qu'ils disent ?

---

1. Antigone reparaît sous le signe de la malédiction (voir le v.2), rendu sensible par le caractère incomplet du vers et par une forme rare du nom d'Œdipe, et dorienne, alors que la langue des « anapestes » est l'attique littéraire. D'où notre traduction. — 2. Vocabulaire significatif : voir les v. 155, 219 et 220. — 3. Ici commence l'**Épisode II,** en trimètres iambiques.

LE GARDE.	— Mais puisque je l'ai vue enterrant, malgré toi, [1] 405 le cadavre ! Est-ce clair et limpide langage ?
CRÉON.	— Et comment l'a-t-on vue et prise sur le fait ?
LE GARDE	— Voici ce qu'il en est. Quand je fus revenu, de ta part menacé de châtiments terribles [2], nous avons balayé sur le mort la poussière 410 et, mettant bien à nu [3] ce corps en pourriture, nous nous sommes assis sur un roc, bien au vent, pour que l'odeur du mort ne vînt pas nous atteindre, l'un par l'autre en éveil tenu par des menaces sitôt que l'un de nous négligeait le service. 415 Alors arriva l'heure où, juste au haut du ciel, s'arrêta radieux le disque du soleil ; l'air était comme un four, et soudain, de la terre, aveugle [4], un tourbillon monte, fléau céleste, à travers la campagne, arrachant tout feuillage 420 aux arbres de la plaine et le lançant au ciel ; seuls des yeux clos tenaient sous ce divin fléau [5]. Quand, après un long temps, eut pris fin cet orage, on voit la jeune fille : elle pousse, perçants, des cris aigus d'oiseau qui découvre le vide 425 au cœur du nid désert où nichaient ses petits. Apercevant le corps privé de sa poussière, elle geint et gémit, et d'affreux jurements vouent au courroux du Ciel ceux qui l'ont dénudé. Sa main sème aussitôt de la fine poussière 430 et, d'un vase de bronze inclinant la beauté, de trois libations honore le cadavre. Or nous, voyant cela, nous nous précipitons ; mais quand nous nous l'arrêtons, elle n'est point troublée ; nous l'accusons d'avoir, ainsi qu'à l'instant même, 435 agi le premier coup : elle n'a rien nié, ce qui, m'étant bien doux, m'était aussi bien dur, car s'il n'est de douceur que d'esquiver les maux, il est dur de mener au malheur ses amis. Mais le reste du monde a naturellement 440 moins de prix à mes yeux que mon propre salut.

---

1. En rejet dans le texte. — 2. Par une hardiesse intraduisible, ces deux vers sont au pluriel dans le texte grec, bien que ne pouvant se rapporter qu'au Garde. — 3. Commenter ce mot : exigences de Créon, conscience « professionnelle » du Garde, vision d'épouvante. — 4. Traduction étymologique (antithèse à *radieux* : v. 416). — 5. Vers significatif.

CRÉON, *tourné vers Antigone, qui tient la tête baissée.*

    — A ton tour, toi là-bas, la fille à tête basse,
    reconnais-tu ou non avoir fait ce qu'il dit?

ANTIGONE, *relevant la tête et regardant Créon fixement.*

    — Je l'affirme bien haut, fort loin de le nier.

CRÉON, *au garde.*

    — Tu peux de ta personne à présent disposer :
445 le terrible grief ne pèse plus sur toi.

        (Le garde sort. A Antigone.)

    Pour toi, tu parleras sans longueurs, en deux mots
    Savais-tu qu'un édit t'interdisait ce geste?

ANTIGONE.   — Oui, comment l'ignorer? C'était chose assez claire

CRÉON.   — Cependant ton audace en bravait la défense?

ANTIGONE.   450 C'est que je ne voyais rien de Zeus dans tout ça,
    et qu'au foyer des dieux souterrains, la Justice [1]
    n'a point de telles lois fait présent aux humains.
    J'ignorais qu'en vertu de tiennes ordonnances
    une simple mortelle eût droit de piétiner [2]
   455 De non-écrites lois, infaillibles, divines,
    non de ce jour, non point d'hier, mais de tout temps
    vivantes lois dont nul ne connaît l'origine.
    Il ne s'agissait point qu'aucun respect humain
    fît par ces lois ma perte au tribunal des dieux
   460 je dois mourir un jour, et le savais fort bien
    sans qu'il fût pour cela besoin de ton édit;
    si c'est avant mon tour, cela même est un gain,
    car peut-on comme moi, dans les malheurs sans
                            [nombre
    ne pas considérer la mort comme un bienfait?

---

1. Sur *la Justice*, voir p. 63. Ce nom et celui de Zeus doivent discrètement, à la diction, souligner le « tout ça », si chargé de mépris. — 2. Reprise significative du v. 449 (*bravait la défense*) ; mais l'acteur ne doit pas hausser le ton : il y a un point, dans le texte grec, à la fin du v. 455.

● Le retour de Créon

Les entrées et les sorties des personnages sont entièrement à la discrétion de l'auteur. Comparez avec la rigueur du principe classique de la « liaison des scènes » : « Tous les acteurs qui paraissent sur le théâtre ne doivent jamais entrer sur la scène sans une raison qui les oblige à se trouver en ce moment plutôt dans ce lieu-là qu'ailleurs » (Abbé d'Aubignac, *Pratique du théâtre*, IV, 1).

① A l'arrivée d'un Garde profondément inquiet correspond le retour d'un Garde plein de joie ; au spectacle d'un Créon sûr de soi correspond maintenant celui d'un homme surpris et inquiet. Montrez-le.

② Le Garde avait juré qu'on ne l'y reverrait plus. « Il ne faut jurer de rien », dit-il maintenant avec son bon sens populaire. Montrez que ce « conseil » met indirectement en vue tout un aspect de la démesure de Créon (v. 184, 305, 486, 758 et 1040).

● **Le récit du Garde**

③ Faites apparaître, dans ce récit, les mêmes qualités que dans le premier (v. 249-277).

④ Pourquoi le Garde donne-t-il tant d'importance à l'orage (v. 417-421) ? Le Garde tient à dire qu'il a dû fermer les yeux dans la tempête de sable : était-ce le moment de l'avouer ? Le poète n'a-t-il pas voulu placer là un avertissement dans la bouche de cet obscur factionnaire (voir le vers 388) ?

⑤ Situez le Garde par rapport au premier messager de l'exode, et comparez ces deux personnages épisodiques.

⑥ Que faut-il retenir de la conclusion du Garde ? Antigone entendra-t-elle souvent des paroles aussi humaines ? Le seul homme qui la plaint est celui qui la livre.

● **La Justice** (v. 451) — Selon Hésiode (*Les Travaux et les Jours*), qui divinise cette notion juridique, la Justice est fille de Zeus et de Thémis, et sœur de la Discipline et de la Paix : toutes trois, sous le nom d'Heures, veillent sur les œuvres des mortels. On voit bien, à son ascendance (car Thémis aurait symbolisé la Terre-Mère), pourquoi Sophocle fait siéger la Justice parmi les *dieux* souterrains, et comment il prolonge l'œuvre d'Eschyle, en faisant arriver aux Enfers, comme sur la terre, le règne du Droit.

Une interprétation différente est donnée par F. Robert (« Exigences du public et ressorts de la tragédie chez les Grecs », *in* Jacquot, p. 59) : sous la pression d'une démocratie qui a créé le droit, mais qui, maintenant consciente de sa force, désire sauvegarder de vieilles croyances, le poète, du reste selon ses préférences les plus profondes, aurait dessein de réhabiliter le culte des morts le plus étroit, et les « principes non-écrits » ou « lois établies » ne seraient évoqués qu'à titre de fondement du droit des morts.

Sur ces principes, voici ce que dit Aristote (*Rhétorique*, I, 13, 2) : « Une loi commune est celle qui vient de la nature, car il y a un juste et un injuste naturellement universels, que tous les peuples devinent sans qu'il y ait pour cela entre eux ni communication préalable ni convention. C'est là ce que dit littéralement l'Antigone de Sophocle quand elle soutient qu'il est juste d'ensevelir Polynice malgré la défense qui en a été faite, attendu que c'est là un droit de la nature » (suit la citation des vers 456-7).

465 Ainsi donc, à mes yeux, le malheur qui m'échoit
n'a rien de douloureux. Mais si j'avais laissé
sans tombe un corps sorti du même flanc que moi
là serait la douleur; hors de là [1], point de mal.
S'il te semble en ce jour qu'en folle j'aie agi,
470 peut-être est insensé qui me croit hors de sens.

LE CORYPHÉE. — C'est l'inflexible sang d'un inflexible père,
et l'enfant ne sait pas céder à l'infortune.

CRÉON, *au Coryphée.*

— Sache donc bien ceci : cœur qui ne sait plier
est fragile entre tous, et le fer le plus dur,
475 celui dont feu de forge a fait la robustesse,
est fort souvent celui qui s'ébrèche et se brise.
Je sais qu'un faible mors suffit à maîtriser
des chevaux plein de fougue; car il n'est pas permis
que l'esclave d'autrui porte l'âme trop haute.
480 Celle-ci, par orgueil, en toute connaissance,
osait tantôt braver les lois de la nature,
et pour surcroît d'orgueil, ayant commis le crime,
elle s'en glorifie et, coupable, triomphe!
Je lui cède en ce jour jusqu'à mon titre d'homme
485 si son geste impuni lui reste une victoire.
Mais, fille de ma sœur ou plus proche de moi
que tous ceux de ma race à notre autel présents [2],
elle ne saurait fuir la mort la plus infâme,
et sa sœur pas plus qu'elle, puisqu'elle eut même part,
490 ainsi que je l'accuse, à ce complot infâme.
(Aux serviteurs.)
Qu'on l'appelle! Au palais je viens de l'entrevoir :
elle était éperdue, et même hors de sens.
Souvent la passion se trahit par avance
quand on trame dans l'ombre une œuvre criminelle.
(Tourné vers Antigone.)
495 Mais je déteste aussi qu'à bien vanter son crime,
arrêté sur le fait, on mette son vouloir.

ANTIGONE. — Veux-tu plus que ma mort quand je suis en tes mains?

CRÉON. — Moi? nullement : ta mort met le comble à mes vœux.

---

1. *Hors de là* n'est qu'une approximation pour : « quant à mon sort présent. » — 2. Allusion
au culte aristocratique du Zeus familial (ou de l'Enclos) : il avait son autel dans la cour qui
précédait le mégaron, ou grand'salle. Cet autel était le symbole de la lignée paternelle.

ANTIGONE.	— Alors, que tardes-tu? Si jamais tu n'as dit
	500 un mot sans me déplaire (à jamais, plaise aux dieux!),
	je suis, de mon côté, pour te déplaire née[1].
	Pouvais-je cependant plus de gloire acquérir
	que de mettre au tombeau mon frère bien-aimé?
	Ceux-ci avoueraient tous que mon geste leur plaît
	505 sans la peur qui leur tient la langue prisonnière.
	Mais le tyran possède, entre cent privilèges,
	celui de pouvoir faire et dire ce qu'il veut.
CRÉON, *montrant le chœur.*	
	— De tous ces Cadméens seule tu vois ainsi.
ANTIGONE.	— Ils voient tout comme moi, mais leur bouche te flatte.
CRÉON, *sans avoir entendu.*	
	510 Et tu peux sans rougir ne pas penser comme eux?
ANTIGONE.	— Je ne vois pas de honte à honorer un frère.
CRÉON.	— N'était-ce pas ton sang, aussi, que l'autre mort?
ANTIGONE.	— C'était mon sang lui-même, et de père et de mère.
CRÉON.	— Comment honorer l'un sans faire injure à l'autre[2]?
ANTIGONE.	515 Il te désavouerait, cet autre, dans sa tombe.
CRÉON.	— Non, car il n'eut de toi que ce qu'obtint l'impie[3].
ANTIGONE.	— Il est tombé en frère, et non point en esclave.
CRÉON.	— Mais pillant son pays, que l'autre défendait.
ANTIGONE.	— L'Hadès veut, malgré tout, pour tous des lois égales.
CRÉON.	520 Le juste et le méchant n'ont pas les même droits.
ANTIGONE.	— Qui sait si, chez les morts, cette règle est sacrée?
CRÉON.	— L'ennemi, même mort, n'est jamais un ami.
ANTIGONE.	— Mon partage n'est pas la haine, mais l'amour[4].
CRÉON.	— Une fois chez les morts, aime-les si tu veux,
	525 mais jamais, moi vivant, femme ne régnera.
LE CORYPHÉE.	— Paraît Ismène aux portes du palais;
	en sœur aimante elle verse des larmes,
	et de son front un nuage, mettant
	sur son visage une ombre pourpre,
	530 baigne de pleurs sa belle joue.

---

1. Chiasme significatif avec le vers précédent. — 2. Étéocle : voir le v. 194. — 3. Polynice : voir le v. 24. — 4. Mot à mot : «C'est pour partager non la haine, mais l'amour, que je suis née.» Sur la place de ce dernier mot, voir le vers 501.

CRÉON.	— Toi qui, dans le palais te glissant en vipère, à mon insu buvais mon sang (et j'élevais sans le voir deux fléaux, ruine de mon trône), allons, parle : as-tu part à cette sépulture [1], 535 ou feras-tu serment que tu n'en savais rien ?
ISMÈNE.	— Cet ouvrage est le mien, si ma sœur y consent; et je porte ma part du poids de cette faute.
ANTIGONE.	— C'est bien ce que Dikè ne te permettra pas : tu refusas ton aide, et j'agis toute seule.
ISMÈNE.	-540 Oui, mais si ton malheur ne te vient que de toi, je veux à tes côtés traverser cette épreuve.
ANTIGONE.	— L'Hadès et Ceux d'en bas savent qui fit l'ouvrage; je n'aime pas l'amour qui n'aime qu'en paroles.
ISMÈNE.	— O ma sœur, ne va pas me priver de l'honneur 545 de mourir avec toi pour honorer le mort.
ANTIGONE.	— Laisse-moi mourir seule : où tu ne fus pour rien, ne prends rien. A la Mort il suffira de moi [2].
ISMÈNE.	— Et le moyen, sans toi, de me plaire à la vie ?
ANTIGONE.	— Consultes-en Créon, dont tu prends l'intérêt.
ISMÈNE.	-550 Pourquoi me déchirer sans nul profit pour toi ?
ANTIGONE.	— Si je me ris de toi, c'est sans gaieté de cœur.
ISMÈNE.	— Mais maintenant du moins puis-je te secourir ?
ANTIGONE.	— Assure ton salut. Je consens que tu fuies [3].
ISMÈNE.	— Faut-il me refuser la mort qu'on te prépare ?
ANTIGONE.	-555 Tu as choisi de vivre, et je choisis la mort.
ISMÈNE.	— Du moins n'aurai-je pas ménagé mes avis.
ANTIGONE.	— Tu croyais ta sagesse, et je croyais la mienne.
ISMÈNE.	— Et nous voici pourtant devant ce crime égales.

---

1. Créon parle comme s'il savait Ismène au courant des faits que lui-même vient d'apprendre, comme s'il prenait pour des remords de terribles appréhensions. En fait, Ismène est déjà informée : c'est le second exemple (voir les v. 16 et 253) de la rapidité significative de l'action. — 2. Le vers grec se termine sur le mot *ego* (= moi). — 3. Voir p. 35.

La déclaration d'Antigone (v. 450-470)

① Pourquoi Antigone n'a-t-elle pas fait, dès le prologue, l'aveu de sa lassitude ?

② La référence constante à des *principes sacrés* (v. 455) n'est-elle pas une menace permanente pour tous les Pouvoirs du monde? Vous supposerez que Voltaire ait relu ces vers au moment de se décider à prendre en main la défense de Calas, ou Zola, au moment où commence l'Affaire Dreyfus.

③ Peut-on écrire avec Masqueray (*op. cit.*, p. 94) : « Un moderne ne peut s'empêcher de remarquer qu'ici les lois éternelles d'Antigone ne sont plus les siennes »?

● **La « réponse » de Créon** (v. 473-496)

Peut-on, à vrai dire, parler de « réponse »? Par le ton, les images et les arguments, dont le dernier (v. 484-485) déclenche l'arrestation d'Ismène, c'est la tirade d'un sophiste. Créon aggrave sa démesure par des outrances qui devaient nécessairement lui aliéner la sympathie du public athénien : sa persévérance dans le mal (car il néglige d'examiner sa notion de « lois établies ») et sa mauvaise foi (car il invente le plus clair de l'« insolence » de son adversaire).

● **Le défi d'Antigone** (v. 497-525) est admirablement préparé par le vers 496, qui retourne contre l'accusateur ses propres accusations : on distinguera la déclaration de guerre inexpiable, la manœuvre de division entre Créon et le Sénat, l'insulte au « tyran »; on examinera les allusions péjoratives des vers 499 et 507.

Peut-on parler de démesure ou s'agit-il seulement de la dernière impatience d'une âme avide de gloire, comme chez le Polyeucte de Corneille (*Polyeucte*, V, 3)?

● **Les réponses de Créon; sa défaite** (v. 508-525)

④ Distinguez les passes de cette stichomythie célèbre.

⑤ Pour mesurer la défaite du tyran, montrez que, sur un terrain accepté par lui, il n'a cessé de lutter pied à pied, et qu'il se retranche finalement sur le plus fragile des « arguments » déjà invoqués par lui.

⑥ Peut-on faire d'Antigone une chrétienne? Collin écrit, à propos du vers 523 : « C'est là du christianisme pur, et du meilleur.» Peut-on, même au sens large, faire coïncider avec ce vers la notion de « charité »? ou la justice d'Achille, qui élève un tombeau rituel à son ennemi Éétion, père d'Andromaque (*Iliade*, XVIII)?

⑦ Commentez cette remarque narquoise de Jean Anouilh (*op. cit.*, p. 58) : « La petite Antigone est prise, la petite Antigone va être elle-même pour la première fois. »

Chez le dramaturge moderne, en face d'un Créon qui n'a d'autre principe politique que le pragmatisme et qui tuera une Antigone qu'il veut sauver, celle-ci ne sait exactement ni ce qu'elle a fait ni pourquoi elle l'a fait.

⑧ Montrez qu'à l'idéal de la justice s'est substituée une autre valeur, et qu'à un univers simple où chacun des adversaires s'en tient à des notions précises a succédé un univers absurde où personne n'est plus sûr de rien.

ANTIGONE.   — Rassure-toi : tu vis! Mon âme, dès longtemps,
            560 est morte pour se mettre au service des morts.

CRÉON.   — Des enfants que voici l'une se montre folle;
            l'autre a perdu le sens à l'heure qu'elle est née.

ISMÈNE.   — C'est que jamais, ô roi, le don de la nature
            ne reste aux malheureux : la raison les délaisse [1].

CRÉON.   — 565 Ainsi de toi, qui suis à ton dam les méchants.

ISMÈNE.   — Mais à quoi bon pour moi vivre seule, sans elle?

CRÉON.   — Ne parle donc pas d'elle : elle n'est déjà plus [2].

ISMÈNE.   — Tu vas faire mourir celle qu'aime ton fils?

CRÉON.   — On peut ensemencer assez d'autres sillons.

---

1. A rapprocher des v. 17 et 492. — 2. Voir le v. 183.

■■

● **Un mouvement pathétique** — C'est sous forme stichomythique que
Sophocle, entre deux couplets de Créon (cinq vers chacun), a écrit un
système de dialogues Antigone-Ismène et Créon-Ismène : rien de plus
nécessaire et de plus pathétique que cette rencontre des deux sœurs,
dont l'une détient un terrible secret, et doit, sous le regard que l'on
devine, autant pour sauvegarder le privilège de sa piété fraternelle que
pour sauver son aînée, briser les élans d'une fraternité maladroite, et
repousser un partage qu'elle avait été la première à offrir (v. 1).

① Comparez la cruauté de ce mouvement avec les quatre dernières
scènes de l'acte II dans *Britannicus*.

● **La tendresse** — Antigone voulait, moins par compassion que par souci
de « gloire » et de « générosité », se réserver l'intégrité de ses mérites :
à la vue d'une Ismène qu'elle n'avait jamais vue, aussitôt après l'indis-
pensable mise au point (v. 547), son ironie se nuance de tendresse (v. 551).

Non moins pathétique et vraisemblable, et peut-être unique au théâtre,
est le silence d'Antigone après le vers 523, qui la résume tout entière :
elle n'a plus rien à dire à Créon, et ne lui dira plus rien.

● **Créon. Les progrès de la démesure** — Le personnage reste fidèle à lui-
même : on notera tour à tour la cruauté du « sophisme » dans lequel
il enveloppe Ismène (incapable de soutenir la discussion sur le plan
des idées, celle-ci la porte immédiatement sur le plan des personnages),
la cruauté de son silence, quand il la laisse croire à Ismène qu'elle vivra,
la crudité cynique de son langage, son impatience à la moindre opposition,
sa façon d'imposer silence et de faire enchaîner les deux sœurs au gynécée.
Sa démesure prend des proportions monstrueuses : après avoir substitué
ses ukases aux « lois établies », il se dresse maintenant contre les lois
du sang, et avec plus de relief que jamais contre la silencieuse Antigone,

si pieuse envers les dieux et envers les siens. « Nuit et Brouillard », dirait volontiers Créon de la résistante Antigone (v. 567), et ses dernières paroles, par lesquelles il suggère la projection de la mort sur la vie, sont d'une hardiesse terrible.

● **Ismène** — C'est le caractère le plus fuyant du drame : elle est de celles qui refusent d'abord de se dévouer, et que l'on a la surprise de voir soudain seconder, de leur mieux mais toujours à demi, une courageuse aventure (v. 69-70); c'est encore ainsi que nous la représentera *Œdipe à Colone* : elle ne rejoint qu'après coup son vieux père aveugle. Qui saura jamais ce qui décide de tels cœurs au sacrifice ? Serait-ce la tacite contagion de l'exemple, comme cela apparaît de façon un peu simpliste dans Anouilh ? Il faut essayer de lire de plus près dans ces esprits incertains : dès son premier mot, Ismène, avec un *si* timide (v. 536), ne se sépare-t-elle pas de la sœur à laquelle elle prétend s'unir dans l'épreuve ? Tout en protestant de son désir de partager les misères d'Antigone, ne commence-t-elle pas par souligner que sa sœur est seule cause de ses maux (v. 540) ? Ne se résout-elle pas assez vite à la pensée de survivre (v. 548) ? A-t-elle perdu l'habitude de parler de *profit* (v. 550) ? Ne dégage-t-elle pas sa responsabilité avec une certaine sécheresse (v. 556) ? Sa dernière parole ne trahit-elle pas un sourd réquisitoire (v. 558) ? Antigone n'est pas dupe, il vaut mieux rendre à la vie de tels compagnons d'héroïsme : ils parlent mal le langage de la « gloire », et il y a quelque duperie à partager avec eux cette piété de la dernière heure. Faut-il le préciser ? Nous sommes très loin du *Dialogue des Carmélites*. Mais Ismène a le mérite d'« essayer » : peut-être manque-t-elle de conviction quand elle parle de *mourir* et d'*honorer le mort* (v. 545), mais elle en parle, et ne finit-elle pas par intervenir sans équivoque, et avec la plus grande sincérité, pour Antigone et pour Hémon ?

● **Antigone. Mesure ou démesure ?** La question se trouve résolue par les analyses précédentes. Comment imaginer que la personne qui a su rester calme, se « définir » en face d'un tyran, et ne s'emporter que par calcul, choisisse d'écraser une sœur éplorée ? Tout s'explique au contraire fort bien par la mesure d'Antigone : sans élever la voix, justement certaine que sa vie ne saurait plus être qu'une longue suite de persécutions, elle réaffirme, devant un Créon étonné, son attachement à une mort glorieuse qui ne revient qu'à elle. Pour y parvenir, et pour sauver Ismène, pour la sauver à son insu, elle multiplie les paroles dures et sarcastiques propres à désolidariser l'imprudente d'elle-même, au point de lui tirer (v. 550) un cri de douleur qui la torture elle-même (v. 551). Les vers 549 et 553 ne sont pas différents du « Vivez avec Sévère » de Polyeucte à Pauline (Corneille, *Polyeucte*, v. 1584), et l'on chercherait en vain, dans tout le rôle d'Antigone, un rappel humiliant des vers 69-70.

● **Le mariage d'Antigone** — Le vers 570 autorise à dire qu'Antigone a arrangé, ou du moins approuvé les conditions de son mariage avec Hémon. Cela lui crée une place à part dans la société grecque du temps de Sophocle.

② Collin déclare que ce n'est pas la véritable Ismène qui parle dans le prologue. Qu'en pensez-vous ?

ISMÈNE.	_570 Ils avaient échangé de tout autres promesses.
CRÉON.	— Je ne veux, pour mes fils, de ces femmes perverses.
ISMÈNE.	— Cher Hémon, quel mépris te témoigne ton père [1]
CRÉON.	— Tu m'importunes trop avec ce [2] mariage.
ISMÈNE.	— Vraiment, tu vas priver ton fils de son épouse?
CRÉON.	_575 C'est l'Hadès qui rompra pour moi cet hyménée.
LE CORYPHÉE.	— Il est, me semble-t-il, décidé qu'elle meure.
CRÉON	— Il me le semble aussi. Que sans retard, esclaves, on les mène au palais, et qu'une bonne garde à ces femmes ne laisse un pas de liberté.

(Antigone et Ismène sont conduites au gynécée.)

580 Même les plus hardis entreprennent de fuir [3],
voyant soudain l'Hadès si proche de leur vie.

---

1. La tradition est unanime à attribuer ce vers à Ismène. Non sans cause. — 2. Mot à mot
« *ton* mariage » , celui que tu as sans cesse à la bouche. — 3. Voir le v. 553.

Bernand

CRÉON. — *Cependant ton audace en bravait la défense?*
(Épisode II, v. 449)

Jean Marchat (CRÉON) et Renée Faure (ANTIGONE)
Comédie-Française, 1959

STASIMON II

LE CHŒUR [1]

Heureux qui de sa vie aux fruits du mal n'a point goûté !
Quand sous la main des dieux chancelle une maison,
585 *le prodigue Malheur sans fin poursuit la race :*

   ainsi la vague intumescente,
   quand soufflent les durs vents de Thrace,
draguant rageusement de ténébreux abîmes,

590   *soulève du tréfonds des mers*
   à tous les vents le noir limon,
et sous l'assaut des flots mugissent de bruyants rivages.

Depuis [2] longtemps je vois, dans la maison des Labdacides,
595 *aux malheurs du passé succéder les malheurs ;*
le père a beau payer, l'enfant n'est jamais libre :

   un dieu sévit, et sans répit.
   Sur un ultime rejeton
600 *brillait une lueur dans la maison d'Œdipe ;*

   mais à son tour, rouge de sang,
   l'anéantit une poussière,
un écart de langage, un cœur [3] qu'anime une Érinys [4].

A ta puissance [5], ô Zeus, quelle humaine insolence
605   *aurait pouvoir de mettre un terme ?*

   Sur elle jamais ne prévaut
ni le Sommeil, qui partout répand la vieillesse,
ni des célestes mois l'infatigable cours.
   A jamais exempt de vieillir,
610 *souverain, pour trône tu prends l'éclat radieux de l'Olympe*

   Siècles prochains ou reculés,
   comme jadis vaudra ta loi :
   il n'est point de bonheur mortel
   dont ne s'empare le Malheur [6].

---

1. **Stasimon II,** strophe I : très ferme. — 2. **Antistrophe I.** — 3. Aux yeux des vieillards thébains, il s'agit aussi bien d'Antigone que de Créon : voir les v. 278, 383 et 472. — 4. Voir p. 88 n. 2.— 5. **Strophe II :** plus lent. Sur la « loi » de Zeus, cf. *Iliade,* XXIV, v. 604, et Hésiode, *Théogonie,* v. 756. — 6. Idée fréquente dans Hérodote : ce serait commettre une « erreur » que d'accepter trop de bonheur. Sur la présente « erreur », voir les v. 278 et 472. Fernand Robert (*in* Jacquot, p. 61) a fait une pénétrante analyse de « l'erreur » considérée comme « moment tragique ».

⁶¹⁵ *La volage espérance*[1] *à nombre de mortels*
    apporte d'utiles faveurs,

    mais de maint crédule désir,
pernicieuse erreur[2]*, elle se joue de nous,*
et sur la braise à vif soudain nos pas se brûlent.
⁶²⁰   *De je ne sais quel habile homme*
il est une sage parole, illustre dans son évidence :

    « *Le mal prend les dehors du bien*
    pour celui dont quelque dieu mène
    à sa perte l'esprit, et qui
⁶²⁵   *très vite connaît le malheur.* »

---

1. **Antistrophe II.** — 2. Le mot grec *apata* est sans doute en relation avec *atè* (malheur); d'où notre traduction : *pernicieuse erreur*.

● **Le stasimon II**

① Montrez que ce stasimon est en rapport avec la totalité de l'épisode précédent, et que la dernière période (v. 604-625) peut également s'appliquer à Créon, à Antigone et à Ismène, non moins qu'à Hémon dans l'épisode suivant.

② Malgré de très ingénieux rappels de mots et d'images, peut-on dire que ce stasimon ait l'éclat des deux chants précédents ?

③ Montrez que la simple prudence du stasimon I a fait place au pessimisme de la pensée (châtiment du coupable, sort de l'innocent, rôle de l'espérance, aveuglement ou erreur de l'homme de bonne volonté) suivant le déroulement de l'action. L'homme n'est plus que le jouet d'un destin cruel et perfide.

Renée Faure
(ANTIGONE)
Comédie-
Française
1959

CRÉON. —
*Que sans retard,
esclaves, on les
mène au palais,
et qu'une bonne
garde...*
(Épisode II,
v. 577-578)

Clichés Bernand

Georges Wilson
(CRÉON)
et Mario Pilar
(HÉMON)
T.N.P., 1960

CRÉON. —
*A menacer ainsi
pousses-tu
l'insolence?*
(Épisode III,
v. 752)

ÉPISODE III

LE CORYPHÉE. — Voici Hémon, de tes fils le plus jeune :
arrive-t-il le cœur plein de chagrin [...1]
songeant au sort de la jeune Antigone,
630   pleurant sur son hymen déçu [2] ?

CRÉON [3]. — Nous allons le savoir, et mieux que par devins.
       (A Hémon.)

Mon fils, viens-tu, sachant l'irrévocable arrêt
qui frappe tes amours, éclater contre un père,
ou restes-tu le seul [4] qui m'aime à toute épreuve ?

HÉMON. — 635 Père, je t'appartiens. Ta prudence [5] me guide,
et je me montrerai docile à tes conseils,
car il n'est point d'hymen qui l'emporte à mes yeux
sur la décision qui plaît à ta sagesse.

CRÉON. — C'est bien ainsi, mon fils, qu'il faut avoir le cœur,
640 et préférer à tout la raison paternelle.
Ce que désire un homme en formant le souhait
de voir naître chez lui des fils dociles,
c'est qu'à son ennemi infligeant mal pour mal,
ils aiment son ami comme le fait leur père [6].
645 Quiconque appelle au jour d'inutiles enfants,
qu'a-t-il fait qu'engendrer, pour lui-même, des maux,
et, pour ses ennemis, d'intarissables joies ?
Ne va donc pas, mon fils, par l'attrait du plaisir,
à cause d'une femme abdiquer ce bon sens,
650 sachant quel froid baiser attend celui qui dresse
à la mauvaise femme un lit dans sa demeure.
Est-il un mal plus grand que d'épouser le Mal ?
Allons, crache au visage de ta jeune ennemie.
Laisse-la dans l'Hadès choisir selon ses goûts.

---

1. Ici, un vers déjà rejeté par Triclinius. Noter la forme interrogative de ce début du **mélo-drame** : voir les v. 161 et 383. — 2. Autre mot en relation avec *pernicieuse erreur* (v. 618). — 3. **Épisode III** : trimètres iambiques. Le retour de Créon, qui s'est retiré pendant le stasimon II, n'est pas annoncé et n'a pas à l'être, l'absence du personnage étant toute fictive pendant le chant du chœur. — 4. Nous donnons à la particule *men* le sens de « du moins », qui désolidarise Hémon d'Antigone, d'Ismène et du chœur. — 5. *Ta prudence...* pour Hémon : si tu es prudent, tu seras, et tu tu es en effet, mon guide ; *ta prudence...* pour Créon : prudent comme tu l'es, tu es d'ores et déjà mon guide. — 6. Voir le v. 187.

655 Maintenant que je l'ai publiquement surprise,
de toute une cité seule à se rebeller,
aux yeux d'une cité [1] loin de me démentir
je la tuerai [2] ! Qu'alors elle en appelle à Zeus,
au dieu de notre sang ! Nourrir chez moi le trouble
660 à plus forte raison c'est le nourrir ailleurs :
quiconque en sa demeure est un chef excellent,
en tant que citoyen paraîtra juste encore ;
mais qui, dans son orgueil, aux lois fait violence
ou prétend au pouvoir imposer son pouvoir,
665 il ne peut de ma bouche attendre nul éloge ;
et quelque souverain, grand ou non, juste ou non [3]
que la cité se donne, il le faut écouter.
Je croirais volontiers ce citoyen docile
aussi bon commandant qu'esclave volontaire ;
670 et, sous des ouragans de javelots campé,
intrépide, loyal et sûr compagnon d'armes.
Il n'est pire fléau que la rebellion :
elle perd les États, ruine les maisons,
elle brise et défait les lances alliées ;
675 mais partout où l'on voit régner la discipline,
un peuple entier, debout, parvient à se sauver ;
aussi doit-on lutter pour l'ordre général.
A la femme jamais ne cédons la victoire ;
et vainqueur pour vainqueur, mieux vaut subir un
[homme
680 qu'être considéré plus faible qu'une femme.

LE CORYPHÉE. — Vrai, si l'âge n'a pas obscurci nos lumières,
le bon sens, à mes yeux, s'exprime par ta voix.

HÉMON. — Père, les dieux, à l'homme octroyant la raison,
lui donnent le trésor entre tous précieux.
685 Je ne le nierai pas : ton langage est d'un sage,
et j'espère pouvoir ne le nier jamais.
Mais d'autres le pourraient, peut-être à juste titre
Du moins le sang pour toi me rend-il attentif
aux paroles, aux faits, aux blâmes qu'on formule
690 Car si ton seul regard épouvante le peuple
quand il tient des discours qui ne te plaisent pas
en revanche, dans l'ombre, il m'est permis d'entendre
à quel point la cité plaint cette jeune fille.

---

1. Les formes correspondant à la répétition intentionnelle du terme *cité* sont respectivement
en tête et à la fin des v. 656 et 657. — 2. Voir le vers 71. — 3. Mot à mot : il faut écoute.
cet homme donnant des ordres petits, justes ou non. Selon Brunck, ce *non* porte à la fois su
petits et sur *justes*. D'où notre traduction.

« Indignement traitée entre toutes les femmes,
695 » elle périt, dit-on, pour l'exploit le plus beau :
» pour n'avoir pas laissé son frère ensanglanté
» gésir sans sépulture, et pour l'avoir soustrait
» tant aux chiens carnassiers qu'à quelque oiseau
⌈de proie [1];
» ne lui revient-il pas quelque honneur éclatant? »
700 Ainsi court en silence une rumeur obscure.
Or il n'est à mes yeux, mon père, de trésor
qui soit plus précieux que ta prospérité :
est-il pour des enfants de plus noble parure
qu'un père qui triomphe, — ou, pour lui, que leur
⌈gloire [2]?
705 Garde-toi de n'ouvrir ton esprit qu'à tes vues.
Ne tiens pas ton avis pour le seul raisonnable.
Quiconque prétend seul détenir la prudence
ou penser ou parler mieux que nul homme au monde,
une fois mis à nu ne montre que le vide.
710 Un homme, un sage (et sans y voir de honte),
à mainte école s'ouvre, et ne se raidit pas.
Sur le bord des torrents grossis par les orages
on voit l'arbre qui plie conserver ses rameaux,
et celui qui résiste est là, déraciné.
715 Tel le patron de bord qui raidit trop l'écoute,
sans lui laisser nul jeu : son bâtiment chavire
et lui, dorénavant, la quille en l'air... navigue [3].
Cède donc en ton cœur, révoque ton édit.
Si la jeunesse en moi me donne bon conseil,
720 je déclare que l'homme empli de tout savoir
est promis de nature aux plus heureux triomphes;
mais que, si pareil don se rencontre assez peu,
un avis éclairé sans honte se peut suivre.

LE CORYPHÉE, *à Créon.*

— Sire, il convient, s'il parle à propos, de l'entendre;

(à Hémon)

725 A toi d'agir de même. Tous deux ont bien parlé.

CRÉON, *au Coryphée.*

— Des hommes de ton âge, et du mien, apprendront
d'un homme de cet âge à se bien gouverner?

---

1. Voir le v. 257. — 2. Ce membre de phrase, introduit par simple raison de symétrie, se
situe pour ainsi dire en dehors de la suite des idées. — 3. On croirait entendre un Achéen du
chant XXIII de l'*Iliade* rire des « prouesses » d'un athlète maladroit.

HÉMON. — Rien qu'en ce qui est juste ! et, quant à ma jeunesse il faut considérer moins les ans que les actes.

CRÉON. -730 C'est donc œuvre de bien que d'honorer le mal ?

HÉMON. — Je n'inviterais pas au respect des méchants.

CRÉON. — Mais elle, n'est-ce pas justement là sa faute ?

HÉMON. — Ce n'est pas ce que dit tout le peuple de Thèbes.

CRÉON. — Le peuple me dira quels ordres lui donner ?

HÉMON. -735 Vois-tu comme tu viens de parler en jeune homme ?

CRÉON. — Pour un autre que moi dois-je être ici le maître ?

HÉMON. — La cité perd son nom dans la main d'un seul homme.

CRÉON. — A son chef la cité n'appartient pas de droit ?

HÉMON. — Tu pourrais bien régner sur une cité vide.

CRÉON. -740 D'une femme il se tait, je crois, le champion.

HÉMON. — Oui, si femme tu es, car ton seul bien m'inspire.

CRÉON. — Scélérat, quand tu fais le procès de ton père !

HÉMON. — Ne vois-je pas le droit profané par ta faute [1] ?

CRÉON. — J'ai tort quand, pour mes lois, j'impose un sain
[respect

HÉMON. -745 En vain : ton pied des dieux foule la majesté [2].

CRÉON. — Être impur, qui subis le pouvoir d'une femme !

HÉMON. — Tu ne saurais du moins d'infamies me convaincre.

CRÉON. — Ta bouche cependant ne parle que pour elle.

HÉMON. — Et pour toi, et pour moi, et pour les dieux d'en bas [3].

CRÉON. -750 Tu ne peux désormais l'épouser de sa vie.

HÉMON, *à part.* — C'est donc qu'elle mourra.

(A Créon, très fort.)

Sa mort tuera quelqu'un.

CRÉON. — A menacer ainsi pousses-tu l'insolence [4] ?

HÉMON. — Menaces, réfuter de creuses rêveries ?

CRÉON. — Tu paieras ta leçon de bon sens, insensé [5] !

---

1. Pour le tour interrogatif, cf. Orzechowski, « Note to *Antigone*, 743 » (*The class. Bull.* XXXVIII, p. 10). — 2. La « rime » est dans le texte grec. — 3. Voir les v. 26-30. — 4. Hémon ne pense guère qu'à un éventuel suicide ; Créon songe immédiatement à un parricide. — 5. Nouveau quiproquo ; Hémon voulait dire : On ne menace pas un homme au pouvoir en critiquant les mesures inconsidérées qu'il peut lui arriver de prendre ; Créon comprend : Sont-ce des menaces que des paroles prononcées contre un sot de ton espèce ?

■■■

● **Créon le sourd** — Il en est resté à la loi du talion (v. 641 et suiv.). Il reste fermé à la notion supérieure de justice, dont il ne prononce le nom (*diké*) que dans des locutions toutes faites. Il ne voit guère dans ses enfants qu'un contingent de défenseurs. En un mot, Antigone et Ismène sont intervenues en pure perte. Créon continue à tenir le même langage. Nous savons ainsi que tout ce que pourra dire Hémon est d'avance inutile : il parle à un sourd, qui se trompe sans cesse sur le sens des paroles qu'il entend (v. 635-636), et qui évoque, en plus terrible, répétons-le, les pires maniaques des grandes pièces de Molière.

Ce personnage « démesuré » reste humain cependant, en raison de la peinture de cette surdité morale, mais aussi en raison d'un reste de pudeur paternelle : quand il réclame de la cité un esprit d'aveugle obéissance au nom de l'intérêt collectif, il réclame que l'on exécute ses ordres « justes ou non » (v. 667), comme s'il n'osait, devant son fils, se reconnaître injuste.

● **Le plaidoyer d'Hémon** (v. 683-723) : un chef-d'œuvre de composition et de vie.

① Étudiez la symétrie de l'exorde et de la péroraison, modeste mais ferme. Montrez l'habileté, mais aussi la maladresse du procédé indirect auquel doit recourir le « jeune homme » en face de la « surdité » paternelle, et l'art avec lequel il se reprend, par une version souriante des premières paroles de son père.

② Étudiez la nature de ses arguments.

③ Faites ressortir les qualités de ce jeune Rodrigue (voir les vers 728-729).

④ N'est-il pas cependant, par certains côtés, le fils de Créon, comme Cléante est celui d'Harpagon, et Damis celui d'Orgon? Ne sait-il pas trop bien parler?

● **La défaite de Créon : nouveaux actes de déraison** — Emporté par la colère, le tyran jette le masque : non content d'identifier l'État à sa personne, et ses caprices aux « lois établies », il déclare ne gouverner qu'au nom de son intérêt personnel (v. 738); c'en est fait des professions de foi désintéressées (v. 184 et 191), et les Athéniens du Ve siècle av. J.-C. ont dû se demander s'ils n'avaient pas sous les yeux Polyphème égorgeant, pour son dîner, tel ou tel de ses moutons.

● **Un portrait de jeune fille**

⑤ Antigone, un instant et malgré elle, a élevé Ismène au-dessus de son « humanité ». Peut-on dire qu'elle ait fait du jeune fils de Créon le jeune homme que nous venons de voir et qui ne pourra lui survivre? Si Créon « se convertit » un jour, à qui le devra-t-il en dernière analyse? Ne pourrait-on, une fois de plus, rapprocher Antigone d'Émilie, à qui Auguste et Cinna doivent diversement leur ascension? Un vers du rôle de Créon permet-il une réponse précise?

● **Athènes, école politique de l'humanité**

⑥ Rapprochez la « morale politique » des épisodes I et II de la *Lettre à Nicoclès* (Isocrate). Ne trouve-t-on pas, dans l'*Antigone* de Sophocle, l'origine humaniste de plusieurs idées de Bossuet (*Sermon sur les devoirs des rois*, Carême de 1662)?

HÉMON. — [755] Je te prétendrais fou si tu n'étais mon père [1].

CRÉON. — Esclave d'une femme, trêve de bavardage!

HÉMON. — Tu veux donc parler seul, et ne veux rien entendre?

CRÉON. — Vraiment? sache-le donc, j'en atteste l'Olympe,
qu'à ton dam tu me sers l'outrage après le blâme.
(A un serviteur.)
[760] Va quérir l'odieuse, qu'elle meure sur l'heure,
en présence, sous l'œil, et près d'un fiancé [2].

HÉMON. — Elle perdra la vie, moi présent? N'en crois rien!
Jamais devant tes yeux tu ne me reverras;
et tu devras, afin d'exercer tes fureurs,
[765] choisir parmi les tiens ceux qui s'en accommodent.
(Il s'en va.)

LE CORYPHÉE. — Sire, il s'en est allé transporté de colère;
d'un cœur si jeune il faut craindre le désespoir.

CRÉON. — Qu'il s'en aille! qu'il fasse ou tente l'impossible [3] :
il n'affranchira pas de la mort les deux sœurs.

---

1. Voir les v. 470 et 686. — 2. Tous ces pléonasmes, du reste significatifs, appartiennent au texte grec : Créon, depuis le v. 751, ne se possède plus; il ne voit dans son fils qu'un insolent, ou plutôt un *thrasus* (terme d'une violence intraduisible en français : que l'on songe au portrait de Thrasymaque dans Platon, *République*, livre I). — 3. Mot à mot : une œuvre plus qu'humaine.

■■

● **Le drame** — On retiendra la rapidité du mouvement final (v. 766-780), la richesse et l'intensité de l'émotion tragique, et le rôle du Coryphée.

① Rapprochez les vers 766, 1091 et 1244 : pourquoi Sophocle a-t-il fait indiquer par le Coryphée des réactions qui nous paraissent évidentes? Y a-t-il quelque chose d'analogue dans le théâtre latin? dans notre théâtre classique?

L'intérêt est de plus en plus vivement excité :

— Que va faire Hémon?

— Une fois éliminés Ismène et Hémon, en face de qui va se trouver Antigone?

— Créon ne tuera pas Antigone; il la placera seulement dans des conditions telles (v.775) que sa mort est inévitable, il le sait, sans une improbable intervention des dieux (v. 658). Les mains de Créon sont pures, son cœur ne l'est pas. Il pratique la « direction d'intention ». Cette casuistique, plus criminelle encore que son premier dessein, échappera-t-elle aux dieux? Créon n'enveloppe-t-il pas dans son propre péril une cité qu'il a tant de fois assimilée à lui?

— Il choisit un supplice raffiné (on songe à Mettius Fufetius qui fit
« écarteler » un agent du double jeu) : Antigone, qui a enterré un mort
sans le mettre en terre, sera mise en terre sans être morte.

② Montrez que Créon double du même coup tous ses anciens forfaits,
en homme désormais perdu, qui brouille l'ordre de l'univers.

● **Les caractères** — Malgré son endurcissement, Créon garde des dimensions humaines : quel devrait-être le supplice d'Antigone? pourquoi
opte-t-il finalement pour un supplice plus discret? est-ce en raison de
craintes religieuses, fort obscures, dont il se défend mal (car il a « sa »
religion)? En ce cas, quel ascendant aurait-il subi à son insu? A-t-il
peur de n'être pas obéi par le peuple? S'il en est ainsi, qui écoute-t-il
sans le savoir? Apparemment tout d'une pièce, le personnage est animé
d'une vie souterraine.

Créon, sur un autre point, aussi important que le choix du supplice
d'Antigone, opère un revirement brutal. Il ne cède pas, il ne résiste pas,
il ne donne pas de raisons. Il « craque » (v. 771). Cela est-il dans la
logique du personnage? Est-ce l'annonce d'autres réactions du même
ordre? de l'exode?

● **La vie humaine**

③ Hémon a obtenu la grâce pour quelqu'un dont il ne savait même
pas, peut-être, qu'il était en danger, et son intervention a perdu celle
qu'il voulait sauver. Des successions d'événements de ce genre sont-elles
courantes? la vie a-t-elle de ces absurdités? en connaissez-vous une
dans le théâtre de Corneille?

Le salut d'Ismène dépasse la brusque décision de Créon; à tout prendre,
il n'y a pas caprice, mais logique profonde du destin : entre Créon, qui
nourrit un idéal temporel d'intérêt immédiat, et Antigone, animée par un
idéal spirituel de justice et de bien, il y a une sorte de ressemblance :
ils sont exactement le contraire l'un de l'autre (v. 499-501). Ces deux
êtres extrêmes sont à leur place dans la tragédie, car ils sont faits pour
être broyés. Ismène, qui tantôt parle d'amour et tantôt d'intérêt, est
un personnage mixte et indécis; elle quitte l'univers tragique, où elle n'a
que faire, comme le Garde (v. 437-440).

④ Rapprochez (autant que faire se peut) ces rôles de ceux de Stratonice
(Corneille, *Polyeucte*) et du Jardinier (Jean Giraudoux, *Électre*, Entracte :
« Moi je ne suis plus dans le jeu... » acte I, fin).

⑤ Commentez, à la lumière des rôles d'Antigone et de Créon, ce
jugement de Giraudoux (*Électre*, Entracte) : « On réussit chez les Rois
les expériences qui ne réussissent jamais chez les humbles, la haine pure,
la colère pure. C'est toujours la pureté. C'est cela que c'est, la Tragédie, avec ses incestes, ses parricides : de la pureté, c'est-à-dire, en
somme, de l'innocence [...] dans la Tragédie, la Pharaonne qui se
suicide me dit espoir, le maréchal qui trahit me dit foi, le duc qui
m'assassine me dit tendresse. C'est une entreprise d'amour, la cruauté!...
pardon, je veux dire la Tragédie. »

LE CORYPHÉE. -⁷⁷⁰ Les veux-tu toutes deux envoyer au trépas ?

CRÉON. — Non, l'une est innocente, et ton conseil est bon.

LE CORYPHÉE. — A quel genre de mort as-tu songé pour l'autre ?

CRÉON. — Au terme d'un sentier dont nul mortel n'approche
je la murerai vive au fond d'un souterrain [1] ;
775 pour toute nourriture ne plaçant devant elle
que juste ce qu'il faut pour fuir le sacrilège [2].
Là, suppliant Hadès, le seul dieu qu'elle adore
peut-être elle obtiendra d'éviter le trépas,
ou du moins à cette heure elle reconnaîtra
780 qu'il est vain d'honorer les ombres de l'Hadès.

---

1. Voir entre autres les v. 885, 920, 1100 et 1204. Il s'agirait d'un tombeau à coupole comme il s'en trouve à l'Héraion (Argolide), à Vaphio (Laconie), à Orchomène (Béotie), à Éleusis, à Thoricos (Attique), etc. Le plus célèbre de ces tombeaux est celui que l'on désigne de nos jours sous le nom de trésor d'Atrée ou de tombeau d'Agamemnon, sur le territoire de Mycènes, à moins d'un kilomètre de la Porte aux Lionnes. La coupole de cette salle circulaire a 15 m de haut. Le *dromos* (l'avenue qui y conduit) a 35 m de long. Le tombeau décrit par Sophocle n'a pas cette importance. Il serait plutôt comparable au tombeau de Ménidi, près de l'ancienne Acharné (XIVᵉ ou XIIIᵉ s. av. J.-C.) : dromos de 4,55 m sur 3 ; « chambre de 8,25 m de diamètre et 9 m de haut. Ce tombeau est du reste encastré dans le flanc d'une colline » (Masqueray). — 2. Créon n'aura pas la mort d'Antigone sur la conscience, dit-il, car il l'entretiendra de nourriture, entendons d'une stricte ration alimentaire, et les dieux, s'ils le veulent, pourront intervenir en faveur de l'emmurée.

Éros
et
Aphrodite

Cl. Guiley-Lagache - Bordas

LE CHŒUR. — *Et sans combat tout cède aux jeux
de la déesse Aphrodita.*
(Stasimon III, v. 799-800)

STASIMON III

LE CHŒUR [1]

Désir, invincible jouteur [2],
Désir, qui fonds sur tes victimes
et qui, sur la fraîcheur des joues
virginales, la nuit reposes,

[785] *c'est toi qui t'ébats sur les ondes* [3]
et dans les rustiques demeures [4] *;*

il n'est immortel qui t'échappe ;
impossible que te résiste
aucun des hommes éphémères ;
[790] *et qui tu tiens perd la raison.*

Par toi, le juste est fait injuste [5],
un cœur s'égare vers le mal ;
par toi s'agite cette noise
entre le père et son enfant [6].

[795] *Triomphe éclatant du regard !*
Le désir de la douce couche

d'une jeune fille s'élève
au rang des grandes lois du Monde [7] *;*
et sans combat tout cède aux jeux
[800] *de la déesse Aphrodita* [8].

---

1. **Stasimon III,** sous forme d'hymne, ce qui est rare, mais non exceptionnel. — 2. **Strophe I** rythme éolien, ici des plus solennels, car la « base » éolienne (dissyllabique ordinaire: — ∪, ou ∪ — est remplacée par un diiambe (∪ —/∪ —). Du reste, aucun intervalle ne doit, à la représentation séparer le mot *Hadès* (v. 780) du mot *Désir* : la rencontre des divinités a certainement été voulue par le poète grec. Certes, le v. 780 se termine, dans le texte grec, par le mot « honorer » mais la place finale du verbe n'a rien de significatif, et tout l'accent du vers doit porter sur le mot *Hadès*, qui est l'avant-dernier. — 3. Allusion à la naissance d'Aphrodite? aux amours de Pâris et d'Hélène? — 4. « *Aulé* : endroit clos où l'on s'arrête la nuit » (Prellwitz, *Etym. lex.*) d'où notre traduction. D'autres entendent : tanières, ce qui nous semble une faute de goût. — 5. **Antistrophe.** — 6. Mot à mot : la querelle consanguine des hommes. — 7. Consécration très « officielle » du Désir : le mot grec *parédros* suggère l'idée d'un « assesseur » des lois du monde Cela ne va peut-être pas sans gaucherie, et la scansion du vers ne correspond pas entièrement à celle de son homologue de la strophe : faut-il voir là une marque de l'attachement du poète à sa notion de la dignité du Désir ? — 8. Dialecte dorien, le plus sévère de tous (= Aphrodite).

● **Nature de ce stasimon** — D'une exceptionnelle brièveté, il peut être considéré comme un *prooimion* (préambule) (cf. Platon, *Phédon*, 60 *d*) en forme d'hymne; ce dernier caractère est très net si l'on considère, outre la solennité de l'attaque et le flottement, à un moment donné, des correspondances rythmiques (voir les notes explicatives), la composition même de l'ensemble, qui est celle d'un « hymne clétique », ou d'invocation, et qui comprend :

— L'invocation (v. 781-786).

— La « partie épique », fort réduite, étant donné la pauvreté des mythes d'Éros (v. 787-790).

— Le « raisonnement » (v. 791 et 792).

— La « conclusion », avec élargissement du Désir, qui devient une grande loi attractive de l'Univers (v. 793-800).

Le choix du genre hymnique est essentiel, car cette forme supposait la présence réelle de la divinité invoquée. Créon vient donc, par ses refus, de commettre un nouveau sacrilège, dont la gravité ne peut échapper à aucun spectateur.

● **Qui est le Désir ici invoqué ?** — Le chœur met l'accent sur ses attributs les plus austères et les plus redoutables : invincibilité, universalité ou plutôt ubiquité, gravité (c'est le dieu de la fidélité, et de la parole donnée, selon le mot d'Ismène (v. 570). Le Désir est donc une sorte de loi cosmique (v. 788) de l'affinité universelle, à laquelle on ne se dérobe pas et à laquelle on ne peut empêcher autrui d'obéir. Le chant se termine gravement sur une sonorité dorienne significative : *Aphrodita*. C'est avant tout la déesse de la vie, de la fécondité et de l'harmonie universelles, que célèbre alors Empédocle et que plus tard exaltera Lucrèce. Créon, une fois de plus, a profané les lois non écrites.

● **La continuité du drame** — Du même coup apparaît le lien de cette partie lyrique avec la partie dramatique : jamais il n'a été plus fort. Il y a d'abord le terrible rappel des vers 77 et 450-455. Il y a des rapports de sonorités (voir la note du vers 781), et le commentaire de l'épisode prend, dans la « conclusion », la forme d'une allusion d'une rare netteté. Enfin, l'hymne ne reprend pas seulement ce que Hémon a dit, mais aussi ce qu'il devait taire par convenance et par diplomatie, et qu'il n'a trahi qu'un instant (v. 699).

Plus exceptionnel encore le lien avec l'épisode suivant, qui sera celui de la « complainte » : le chœur, d'ordinaire assez maître de lui, ne peut retenir ses larmes; rarement le pathétique a cette intensité.

● **Un aveu du poète ?** — Il est de tradition de voir, dans le frémissement de cet hymne, l'aveu d'une vie sentimentale agitée. En ce cas, Sophocle n'aurait-il pas donné à ce chœur une étendue ordinaire ? La vérité est que Sophocle ne peut et ne veut « représenter » l'amour que dans le filigrane de son drame, et que lui-même n'est pas en jeu.

① Pour quelles raisons croyez-vous que les deux premiers tragiques grecs ont fait à l'amour une place si restreinte et si peu apparente ? Pouvez-vous établir une sorte de parallèle avec notre théâtre tragique ?

② Jean Anouilh, qui a supprimé le personnage de Tirésias, a ménagé un dialogue Antigone-Hémon. A-t-il pour autant trahi l'esprit de la tragédie de Sophocle ?

ÉPISODE IV

LE CORYPHÉE. — Et maintenant moi-même à ce spectacle
je manque au roi [1] et ne puis retenir
un temps de plus la source de mes larmes
quand, vers la couche où tous s'en vont dormir [2],
805   je vois s'avancer Antigone.

ANTIGONE [3]

Voyez-moi, citoyens de Thèbes, ma patrie,
parcourir mon dernier chemin ;

c'est mon dernier regard
vers l'éclat du soleil
810   *que jamais plus je ne verrai.*
L'Hadès, qui plonge tout dans le sommeil, m'emporte
aux bords de l'Achéron [4], vivante.

Aucun chant nuptial n'a résonné pour moi ;
aucune demeure ;
815   *aucun hymne [5].*
Achéron sera mon époux.

LE CORYPHÉE. — De gloire donc et d'éloge nantie [6]
tu vas marcher vers la maison des morts ;
tu ne péris ni des maux épuisants
820   ni du hasard des glaives meurtriers.
De plein gré, seule des mortels,
tu descends vive dans l'Hadès.

---

1. Mot à mot : aux lois (de Créon). Le français ne peut supporter aucune équivoque avec le v. 798. — 2. Avec idée de couche nuptiale : voir les v. 816, 891 et 1204-1240. — 3. **Kommos** (complainte) d'Antigone. La partie chantée par Antigone est en vers dochmiaques. — 4. Fleuve des Enfers. — 5. Cf. André Chénier, *la Jeune Tarentine*. — 6. Ce sont les rêves d'Antigone : voir les v. 97 et 502-505.

ANTIGONE

J'ai entendu conter quelle terrible mort [1]
    eut l'étrangère de Phrygie,

825   la fille de Tantale,
        au sommet du Sipyle,
    serrée dans sa prison de lierre.
Sous la plante tenace, elle, dit-on, couverte
    de neige et de pluie harcelée,

830 sans fin mouille ses flancs des larmes de ses yeux.
    Telle est la tombe
    à s'y méprendre,
    où le Destin va me coucher.

LE CORYPHÉE. — Mais elle était déesse issue de dieux [2];
835 nous sommes, nous, mortels, fils de mortels.
Mais ton trépas aura gloire et légende :
ton sort aux dieux t'aura rendue égale
    durant ta vie puis dans la mort.

ANTIGONE

Hélas ! on rit de moi. Pourquoi, je le demande
840   au nom de nos dieux paternels,
sans attendre ma mort m'outrager toute vive ?

    O cité, ô de ma patrie
fortunés habitants, ô sources dircéennes,

    hélas ! ô bois sacré de Thèbes
845 aux beaux chars, vous du moins, soyez témoins ! voyez :
    pas un ami pour me pleurer,

et les lois, quelles lois ! vers un cachot m'entraînent,
    étrange tertre funéraire.
Que je suis malheureuse ! Au milieu des vivants

850   Ainsi que chez les ombres
        je serai comme aux morts
        aux vivants étrangère.

LE CHŒUR

    Au plus haut de l'orgueil montée,
au trône de Dikè [3] tu t'es violemment
855   heurtée, ô ma fille, expiant
je ne sais quel forfait par ton père commis.

---

1. Voir p. 34. — 2. Ton de reproche : Antigone est allée trop loin en se comparant à Niobé, la fille de Tantale changée en pierre. — 3. La Justice.

ANTIGONE

Tu viens de raviver ma plus vive blessure
en évoquant mon pauvre père,
et son triste destin, qui fut toute la part

860   *de notre beau sang Labdacide.*
Hélas! fatalités des amours maternelles,

incestueux embrassements
qu'à mon père donnait ma mère infortunée,
865   *à quels parents je dois le jour!*

Malheureuse! Vers eux, d'anathèmes chargée,
mais sans porter le nom d'épouse,
voici que je m'en vais partager leur demeure.

O funeste hymen que le tien,
870   *frère, qui du tombeau,*
vive encore, me tues.

LE CHŒUR

Culte des morts? un parmi d'autres...
Mais qui de son pouvoir se montre soucieux
ne peut souffrir d'être nargué;
875   *et n'écoutant que toi* [1] *tu meurs de ta folie* [2].

ANTIGONE

Sans qu'on me pleure, sans amis [3],
sans époux, las, je suis livrée

à cette route qui m'attend,
880   *et l'œil sacré de la lumière à mes regards est interdit*

nul ami ne donne à mon sort
ni larmes ni gémissements.

---

1. Voir le v. 821 : *de plein gré.* Les termes grecs sont respectivement *autonomo* (v. 821) et *autognôtos* (v. 875). — 2. De ton Érinys (voir le v. 603), pourrait-on dire. L'Érinys est l'esprit, le Génie de quelqu'un. Le mot est apparenté au mot allemand qui signifie « souvenir », parce que la mémoire a pu apparaître autrefois comme l'activité mentale par excellence (cf. l'ancien français où « mémoire » signifie « intelligence »). On voit aisément comment l'Érinys d'un mort peut assaillir un meurtrier et prendre la forme du remords. L'Érinys d'un vivant peut, à certains moments, se laisser posséder par la passion et la fureur sous cette forme malveillante, elle a naturellement pris le sens de furie, d'égarement. — 3. **Épode** Dans la structure épodique, un ou plusieurs systèmes de strophe-antistrophe sont suivis par une épode ou strophe de composition différente. Antigone allait de gauche à droite en chantant les strophes, de droite à gauche en chantant les antistrophes, et restait au repos pour chanter l'épode. Le *kommos* de Créon ne comporte pas d'épode.

● **La complainte d'Antigone** (v. 806-882) — On n'étudie pas, sur une traduction, l'effet pathétique des dochmiaques. Il faut se représenter Antigone
affolée à la vue de sa mort imminente et prématurée. Le 21 mai 1844, lors
d'une représentation «archéologique», Paul Meurice et Auguste Vacquerie
n'avaient pas hésité à montrer une Antigone parcourant échevelée les
divers étages de la scène, réclamant, dans le délire du désespoir, l'assis-
tance des vieillards thébains, et s'attachant convulsivement à leurs
bras. Beaucoup déclarèrent ne pas reconnaître, dans ces « outrances »,
la sereine majesté de Sophocle : certes, il ne faut pas oublier que les pires
douleurs doivent se garder de quelque geste indigne (voir le vers 1250),
mais le vers 581 autorise à jouer le passage sur un mode assez pathétique.
On distinguera trois sortes de douleurs :

a) Antigone souffre d'abord à la pensée qu'elle ne verra plus le soleil,
et qu'elle n'aura connu aucune des joies profondes réservées à son sexe :
elle est restée sous le choc du vers 575.

① Montrez la place et l'étendue de ces regrets si largement humains.
Pour la féminité du personnage, comparez avec les vers 72, 460 et suiv.

b) Antigone, assez tôt et de plus en plus vivement, ressent une cuisante
déception.

② Les vers 509 et 803 révélaient et entretenaient la naïveté, si humaine,
de la jeune fille. A qui sa lucidité progressive s'aperçoit-elle qu'elle a
affaire ? Montrez que les sénateurs thébains sont restés dans la vraisemblance avec leur « humanité » si fugace.

c) Antigone, son exaltation tombée, est sensible à l'absurdité de son
geste. Toutes ses raisons d'agir s'évanouissent une à une, et il ne va
rester que la solitude et la tombe. Successivement elle perd :
>   les joies de l'existence et son titre de Thébaine (v. 824);
>   les joies de toute société;
>   la certitude de ses principes (v. 854);
>   la fierté de sa naissance (v. 856 et suiv.);
>   la foi (v. 872);
>   le sentiment de son innocence (v. 875).

③ Le chœur est naturellement porté à voir de la démesure dans tout ce
qui le dépasse. Que retenir de ses accusations ? Antigone fait-elle preuve
de démesure ? S'est-elle perdue elle-même ?

④ Paul Mazon écrit : « Les parties chantées du rôle d'Antigone sont
les seules où l'on puisse découvrir quelques traces de la banalité du
style d'opéra. » Qu'en pensez-vous ? Ne faut-il pas plutôt reprendre
ce jugement de Maurice Croiset pour caractériser le style de Sophocle ?
« Presque toutes ses expressions sont pleines de sens : non seulement
elles frappent à l'audition, mais elles invitent à réfléchir. Ce qu'il em-
prunte soit à la langue homérique, qu'il connaît à fond, soit à l'usage
de ses contemporains, il se l'approprie et il le rajeunit, s'il y a lieu, par
une justesse naturelle ou une sorte d'adresse suggestive, qui double la
valeur des mots. » Cf. p. 90, note 5.

⑤ Étudiez l'évolution des mouvements du chœur (ironique, sentencieux,
sarcastique, maladroit, dogmatique), et l'effacement progressif de son
rôle.

CRÉON, *surgissant brusquement, parle aux gardes.*

— Savez-vous que jamais, à l'heure de la mort,
plaintes ni pleurs ne prendraient fin, si l'on voulait
885 Que ne l'emmenez-vous au plus tôt ? Sous la voût
au fond du tombeau comme je l'ai prescrit,
qu'on l'abandonne seule, ou bien pour qu'elle y meu
ou que, sous pareil toit, elle vive de mort.
Nous serons innocents du sort de cet enfant [1],
890 mais le jour des vivants lui sera défendu.

ANTIGONE. — Tombeau, lit nuptial, souterraine demeure
où je vais à jamais rejoindre ceux des miens,
mes morts, qu'en si grand nombre [2] au royaume de
ombre
a maintenant fini d'accueillir Perséphone [3]—,
895 la dernière et de loin la plus infortunée [4]
je péris sans avoir usé ma part de vie.
Là, du moins j'en nourris en moi le ferme espoir,
ma venue sera chère à mon père, chère à toi,
mère, aussi bien qu'à toi, mon frère bien-aimé,
900 puisqu'après vos trépas je vous ai, de ma mai
et baignés, et parés, et puis, sous vos tombeaux,
honorés d'eau lustrale. En ce jour, Polynice,
ton corps enseveli me vaut ce châtiment ;
mais ce devoir fut juste au jugement des sages.
905 Jamais, pour des enfants dont j'eusse été la mère
jamais pour un époux étendu [6] dans la mort,
contre l'État je n'eusse assumé cette charge.
Quelle est donc la raison dont s'inspire ma voix
Après l'époux défunt un autre fût venu ;
910 après mon enfant mort le fils d'un autre lit ;
mais puisque dans l'Hadès dorment mes père et mèr
je ne puis plus compter avoir jamais de frère.
Voilà pour quelle cause entre tous t'honorant [7],
aux regards d'un Créon je semble criminelle

---

1. Voir le v. 776. — 2. Toute sa famille, sauf Ismène. — 3. Fille de Zeus et de Démét
épouse d'Hadès. — 4. Cf. Racine (*Phèdre*, I, 3) : « ... de ce sang déplorable, — Je péris la derniè
et la plus misérable. » — 5. Tout le passage (v. 904-913) semble inspiré d'Hérodote (III, 119)
Intapherrnès et les membres de sa famille ayant été condamnés à mort par Darius, la femm
du coupable obtint la grâce d'un condamné de son choix. Elle désigna son frère, et non so
époux, en déclarant qu'elle pourrait avoir un autre mari, mais non un autre frère, du fa
que ses parents étaient morts. Pour un Grec, il était aussi important, et de même nature, d
sauver un vivant ou de permettre à un cadavre de franchir le Styx. Pourquoi regarder c
passage comme une interpolation ? Il ne brise nullement l'unité du caractère (auquel il appor
de précieuses nuances), ni le tissu de l'impeccable discours. Quant au genre d'hypothèse formulé
par Antigone, il est vieux comme le monde et d'une saveur essentiellement populaire. -
6. « Pourrissant », dit Antigone : voir le vers 410. — 7. Le mot grec (*ekprotimèsasa*) es
semble-t-il, unique dans toute la littérature.

ANTIGONE. — *Aucun chant nuptial n'a résonné pour moi...*
(Épisode IV, v. 813)

Catherine Sellers (ANTIGONE) au T. N. P., octobre 1960

915 et scandale d'audace, ô tête fraternelle.
Voilà qu'il s'est saisi de moi; son bras m'entraîn
vierge, sans chant de noce, avant que j'aie conn
la couche d'un seul homme, et nourri nul enfan
Abandonnée de mes amis, infortunée,
920 vivante, je descends vers les tombes des mort
Quelle divine loi ai-je donc profanée?
Hélas! pourquoi lever vers le Ciel mes regards
Quel secours invoquer? Je me suis clairement
par ma piété même acquis le nom d'impie.
925 Mais si ce que j'endure est approuvé des dieu
les peines me feront avouer que j'ai tort;
et si

(vers le chœur)

l'erreur est là, puisse-t-on n'y sub
que ce que j'en reçois sans aucune justice[1].

LE CORYPHÉE. —   Toujours les mêmes ouragans,
930   les mêmes souffles la tourmentent!

CRÉON.   — Aussi de leurs lenteurs ferai-je repentir
                ceux qui tardent à l'emmener.

ANTIGONE.   —   Hélas! ma mort est imminente,
                et cette menace l'annonce.

CRÉON.   -935 Ne reprends point espoir, si tu veux un consei
                je vois mes ordres s'accomplir.

ANTIGONE.   — Terre thébaine et cité de mes pères,
                et vous, divins fondateurs de ma race[2],
                c'en est donc fait! Voici que l'on m'emmène.
940   Regardez bien, dignitaires thébains,
                à quel supplice — et sur l'ordre de qui !—
                l'on traîne en moi, seul[3] reste de vos rois[4],
                la seule et juste piété[5].

---

1. Commenter ce mot final. Sur le pari d'Antigone, voir p. 29. — 2. Zeus, Poséidon, Arè
Aphrodite, etc. — 3. Ismène ne compte plus. — 4. Opposer ce vers aux v. 60 et 50
— 5. Opposer ce vers au v. 872.

● **Les adieux d'Antigone** — La complainte d'Antigone correspondait à une faiblesse de la nature humaine : le personnage qui s'était pourtant si bien défini (v. 523) n'était plus lui-même. Il s'agit, pour lui, non de forcer sa mesure, mais de la retrouver. Cette reconquête de sa plénitude se fait non par le jeu de quelque miracle, mais par celui de l'amour-propre : en présence de son bourreau, Antigone n'avait ressenti aucun regret, aucun désarroi; l'absence de ce bourreau l'avait privée de sa « résistance »; son retour lui rend confiance en elle-même. Elle s'exprime en trimètres d'une calme et frémissante fermeté, dans le discours le plus long de son rôle. La seule chose qu'elle garde de sa récente inquiétude, c'est le regret de la lumière et des joies du mariage et de la maternité (v. 905). Le poète a discrètement mis l'accent sur la persistance de cette peur de l'ombre, et l'on ne retrouve rien du goût de la mort, d'abord témoigné par lassitude.

Reprenant le premier et le dernier regret de sa complainte, Antigone exprime son « espérance » d'échapper à la solitude en retrouvant les siens, et cette pensée de l'accueil familial lui inspire un très doux apaisement, rappelant ce que son désir de la mort avait au début de plus affectueux (v. 73). Puis, Antigone achève de fonder en raison sa conduite (v. 904-915). Ce qu'elle avait surtout expliqué à Ismène puis à Créon, c'était son culte des morts et des lois éternelles. A peine si, à deux reprises (v. 466 et 511), elle avait laissé entendre que ce double culte se révélait plus impératif encore quand il s'agissait d'honorer un frère. Elle donne maintenant tous détails nécessaires à cette explication, range les sages de son côté en invoquant la loi du sang, une des « lois établies », et satisfait ainsi aux commandements de la Justice. On a regardé ce passage comme interpolé, sur la foi de Gœthe. Il nous semble au contraire, et à tout point de vue, d'une venue excellente. Gœthe avait dû être choqué par les vers où Antigone déclare qu'elle ne serait pas intervenue pour le cadavre d'un fils ou d'un mari, semblant ainsi restreindre jusqu'à le nier ce culte des morts auquel elle a tout sacrifié. Reportons-nous au commentaire du Coryphée : il est forcément fidèle parce que destiné à éclairer l'auditeur dans les passages délicats. Or (v. 929) il parle des tempêtes qui agitent *toujours* l'âme d'Antigone : c'est l'écho de la « complainte ».

① Les adieux d'Antigone forment, avec sa « complainte », une souple et discrète symétrie. Montrez que l'héroïne retrouve la fierté de sa naissance et la sûreté de ses principes.

② « L'héroïne tragique, raillée des hommes, abandonnée des dieux, marche en pleurant vers cette mort qui l'arrache à la lumière du Soleil » (Gilberte Ronnet, *R.E.G.*, n° 361-363, p. 336). Que pensez-vous de cette image d'Antigone ?

③ Rapprochez la mort d'Antigone et la mort de Socrate.

STASIMON IV

LE CHŒUR

945
Danaé vit aussi, loin du ciel lumineux [1],
séquestrer sa beauté dans sa chambre d'airain ;
loin de tous les regards,
en ce lit sépulcral elle était enchaînée.

950
O ma fille [2], *elle était pourtant de noble race,*
et de Zeus, en son sein, nourrissait la pluie d'or.
Mais l'on sait du Destin le terrible pouvoir :

opulence, intrépidité,
noires nefs au péril des mers, ni bastions de la cité,
rien n'est à l'abri de ses coups.

(Antigone disparaît, emmenée par les gardes.)

955
Enchaîné fut aussi l'ardent fils de Dryas [3].
roi des Édoniens, pour ses transports impies
mis par Dionysos
tout au fond des cachots d'une prison de pierre.

Tel chut de sa fureur le scandale éclatant :
960
il sut la déraison de blasphémer le dieu.
Il voulait enchaîner les femmes inspirées,

éteindre l'évohé de flamme ;
il en voulait aux airs de flûtes ; il moquait celles qui
[s'y plaisent :
965
il avait offensé les Muses.

---

1. **Stasimon IV** : lent et triste. La légende de Danaé n'est pas sans analogie avec celle d'Œdip
Acrisios, roi d'Argos, qui devait périr de la main de ses descendants, enferma sa fille Dana
dans une chambre souterraine, où elle reçut, sous forme de *pluie d'or*, la visite de Zeus ; apr
quoi elle donna le jour à Persée. Acrisios « exposa » la mère et l'enfant à la fureur des flo
dans une nacelle de bronze. Rejetés par la tempête sur les côtes de Sériphos, ils furent accueill
par le roi Polydecte. Sophocle a composé un *Acrisios* et une *Danaé*. — 2. *O ma fille* est répét
dans le texte grec. — 3. **Antistrophe I.** Il s'agit de Lycurgue, roi des Édoniens en Thrac
enfermé par ses sujets dans une caverne du mont Pangée. Il aurait (*Iliade*, VI, v. 130
suiv.) battu les nourrices de Dionysos, interdit dans ses États le culte de ce dieu, comm
Penthée à Thèbes, notamment quand il s'opposa à l'introduction d'un culte qui excitait l
femmes à courir la montagne en brandissant le thyrse, troubla le jeu des flûtes et fit arrach
les ceps de vigne.

Pour qui va du côté des Roches Cyanées [1]
la Double-Mer oppose aux rives du Bosphore les rives
[*de la Thrace*

970   *et Salmydesse* [2], *auprès d'Arès qu'elle vénère.*
Là, ce dieu fut témoin du mal qui vint frapper les
[*deux fils de Phinée,*
abominable mal qui les priva du jour
et que leur fit subir leur sauvage marâtre.

Pour crever de leurs yeux les globes douloureux elle
[*écarta le glaive,*
975   *et ne voulut s'armer que de ses mains sanglantes*
et des pointes de ses navettes.

Consumés de douleur, les deux infortunés [3]
980 *déploraient à grands cris le malheureux destin dont ils*
[*étaient le fruit :*

le malheureux hymen qu'avait subi leur mère.
Elle avait beau, pourtant, descendre d'Érechthée par
[*son antique race,*
et puis avoir grandi dans des antres lointains,
au cœur des ouragans pour père avoir Borée,

985 *égaler en courant sur les monts escarpés le galop du cheval,*
être du sang des dieux ! Des Parques éternelles
elle fut victime, ô ma fille !

---

1. **Strophe II :** un peu plus ferme. Les *Roches Cyanées*, ou Roches-Bleues, à l'entrée du Bosphore de Thrace, étaient encore nommées Symplégades car elles « s'entrechoquaient » au
passage des navires. Quand arriva le navire Argo, Euphèmios lâcha une colombe : les écueils
heurtèrent, mais l'oiseau passa, n'y laissant que quelques plumes et la queue. Les Argo-
nautes engagent le vaisseau. Les rochers se referment encore, mais le navire passe, n'y laissant
que l'ornement situé au sommet de sa poupe. Et les rochers ne bougèrent plus. — 2. *Salmydesse*
est aujourd'hui Midja, ou Midia (5 000 habitants), dans la zone de Kirklas-Eli, en Turquie
d'Europe. Au reste, pour un moderne, la géographie de Sophocle est assez flottante. —
3. Sophocle suit en partie la version selon laquelle Idaia creva les yeux des Phinéides (Plexippos
et Pandion), sous le fallacieux prétexte qu'ils avaient voulu attenter à sa pudeur ; elle les
fit murer ensuite avec leur mère. Selon une autre version, Phinée, trop faible, aveugla lui-même
ses fils à la sollicitation de sa nouvelle épouse, et les enferma dans un tombeau.

● **La présence des acteurs** était assez rare, pendant le chant du chœur pour mériter d'être signalée ici, au moins pendant la première strophe (v. 945-954); du reste, tout le stasimon s'adresse à la jeune fille, comme en témoigne le mot final (v. 987).

● **Sens de ce stasimon** — Les commentateurs sont unanimes à souligner que les exemples qu'il contient ne sont pas de nature à consoler Antigone. Il semble que ce soit oublier bien des choses : Antigone n'a plus besoin de consolation (v. 941 et suiv.); les «dignitaires thébains» seraient incapables de lui en apporter une; et ils entendent surtout rabaisser une démesure qui ne fait pas de doute à leur yeux (depuis le vers 834, et surtout depuis le vers 929). Ils ne font pas de différence entre l'erreur d'Œdipe et celle de sa fille.

● **Troisième et quatrième stasima** — Au moment où l'héroïne marche à la mort, le chœur, pour illustrer cette « leçon », s'inspire des sombres pensées qui donnaient au stasimon III son sens. Mais tout se passe comme si l'hallucination passagère d'Antigone s'était emparée du chœur d'où l'accent terrible de ce stasimon. Si terrible qu'à un moment donné le chœur oublie l'emprisonnement (qui établissait un lien entre le châtiment de la jeune Labdacide et les malheureux Phinéides) pour ne plus entendre que les lamentations de ceux-ci, et faire mesurer à Antigone une dernière fois, le caractère implacable du Destin.

ÉPISODE V

IRÉSIAS *apparaît, conduit par un enfant qu'il désigne au chœur* [1].
— Nous avons, Grands de Thèbe, ensemble fait la route,
un seul voyant pour deux, car ceux qui n'ont plus
[d'yeux
990 ne peuvent faire un pas que ne conduise un guide.

RÉON. — Qu'y a-t-il de nouveau, vieillard Tirésias?

IRÉSIAS. — Je m'en vais te l'apprendre, et toi, crois le devin.

RÉON. — Jusqu'ici pas à pas j'ai suivi tes conseils...

IRÉSIAS. — ... et dans le droit chemin gouverné la Cité.

RÉON. 995 Je puis être témoin que tu m'as bien servi.

IRÉSIAS. — Sache qu'en ce moment ton destin se rejoue.

RÉON. — Qu'est-ce donc? Un frisson me glace à tes paroles.

IRÉSIAS. — Tu le sauras : entends les signes de mon art.
Au lieu qui dès longtemps fut le trône augural [2],
1000 siège d'où j'observais de tous oiseaux le temple [3],
confuse me parvient une clameur d'oiseaux
sinistres, furieux, poussant des cris barbares [4].
Ils s'entre-déchiraient de serres meurtrières,
et je le sus au bruit, signe sûr [5], de leurs ailes.
1005 Aussitôt, pris de peur, j'ai consulté le feu
sur les autels ardents : au-dessus des victimes
Héphaistos [6] restait sombre, et c'est sur de la cendre [7]
que la graisse des cuisses, en fondant goutte à goutte
fumait et grésillait; dans les airs projeté
1010 se dispersait le fiel; les cuisses, ruisselantes,
apparaissaient à nu sans leur couche de graisse :

---

1. **Épisode V.** — 2. Pausanias (IX, 26, 1) signale cet «observatoire» de Tirésias. — 3. Mot à mot : le port; Tirésias veut dire qu'il avait sous les yeux un rendez-vous de toutes les espèces d'oiseaux. Son langage est naturellement sybillin. — 4. Traduction d'une forme grecque rare et apparemment unique. — 5. Mais encore imprécis. — 6. Le feu. — 7. Les os des cuisses, avec un peu de chair adhérente, étaient placés entre deux couches de graisse. On ajoutait, par-dessus, des bribes détachées des autres morceaux et, souvent, le fiel de la victime. La flamme devait briller et pétiller, et le foie se consumer entièrement.

autant de signes vains, présages avortés;
de l'enfant que voici j'apprenais tout cela,
car il conduit mes pas comme j'en conduis d'autre
1015 Oui, par ton seul vouloir fond ce mal sur la ville
on ne voit point d'autels, ou publics ou privés,
que rapaces ni chiens ne souillent de lambeaux
du mort infortuné qui fut le fils d'Œdipe;
et de nous désormais les dieux n'accueillent plus
1020 sacrifices ni vœux, ni feu sous les victimes;
en signe de bonheur l'oiseau n'a point de chan
car un homme égorgé le paît de sang caillé.
Songe à cela, mon fils. Les hommes, en effet,
sans nulle exception, sont sujets à l'erreur;
1025 mais quand il a failli, celui-là n'est plus homme
insensé ni sans heur [1], qui, tombé dans le mal,
cherche à panser sa plaie au lieu de s'y complair
Mais l'endurcissement n'engendre que sinistres [2].
Apaise donc le mort, sans t'acharner sur lui.
1030 A quoi bon, s'il n'est plus, le faire encor périr?
Je te sers. Je dis bien. Rien n'est plus doux à suivre
Qu'un langage éclairé tout à vos intérêts.

CRÉON.   — Vieillard, vous êtes tous ainsi que des archers,
votre cible est ici,

            (montrant son cœur)

                        que même vos devins
1035 n'auront pas épargnée; et la [4] race n'a pas,
pour me vendre, et revendre, attendu ce moment
Trafiquez, achetez tout l'électrum de Sardes [6],
si le cœur vous en dit, et les trésors de l'Inde :
aux restes de ce mort vous n'ouvrirez de tombe
1040 et dût l'aigle [7] de Zeus, s'en faisant une proie
l'emporter par lambeaux jusqu'au trône du Dieu
même ainsi, sans voir là de crime ni tremble
je refuse la tombe, car je n'ignore point
que de souiller les dieux nul mortel n'est capable
1045 Ils tombent, les mortels, ô vieux Tirésias,
même les plus adroits, d'une chute honteuse,
quand leur vil beau-parler sert leur seul intérêt

---

1. Allitération. — 2. Trad. étymologique. — 3. Voir le vers 723. — 4. Selon certains : « *m race* ». — 5. Obsession croissante de la vénalité (v. 222, 310, 326, etc.). — 6. Capitale de Lydie, sur le Pactole, et ville de Crésus. L'*électrum*, alliage d'or (4/5) et d'argent (1/5), faisa la richesse de la Lydie depuis le VIIIe siècle (première monnaie). — 7. L'aigle était l'oisea de Zeus.

TIRÉSIAS.	— Hélas [1] !
	Est-il homme qui sache, homme qui reconnaisse…
CRÉON.	— Comment ? Que veux-tu dire avec ce lieu commun ?
TIRÉSIAS.	1050 … de combien la raison passe tous les trésors [2] ?
CRÉON.	— Autant que déraison passe les autres maux.
TIRÉSIAS.	— Tel est pourtant le mal dont je te vois atteint [3].
CRÉON.	— Je me refuse à rendre au devin son insulte.
TIRÉSIAS.	— Pas du tout : de menteurs tu traites mes oracles.
CRÉON.	1055 Oui, race de devins, race avide d'argent.
TIRÉSIAS.	— Et celle des tyrans, engeance de rapaces.
CRÉON.	— Au Prince [4], le sais-tu, il faut peser tes mots.
TIRÉSIAS.	— Je sais… Tu me dois d'être ici sauveur et maître.
CRÉON.	— Sage devin que toi, mais d'injustice épris !
TIRÉSIAS.	1060 Tu vas me faire ouvrir les secrets de mon cœur.
CRÉON.	— Ouvre, mais que ce soit sans esprit de profit.
TIRÉSIAS.	— Si je crois à présent servir quelqu'un, c'est toi.
CRÉON.	— Tu n'achèteras pas, sache-le, ma pensée.
TIRÉSIAS.	— Sache ne plus pouvoir aux courses du soleil
	1065 égaler pour longtemps les courses de tes jours,
	avant que tu ne paies, d'un être de ton sang,
	cadavre pour cadavre, une rançon funèbre,
	pour avoir mis sous terre un être encor debout,
	pour l'avoir au tombeau honteusement muré,
	1070 et pour garder sur terre un bien des dieux d'en bas,
	sans ultimes honneurs, sans sépulture, — un mort.

---

1. Voir p. 56, note 1 . — 2. Voir *Mesure et démesure*, p. 41. — 3. Voir les vers 683-684. — 4. Il y a, dans le texte grec, un pluriel de majesté.

● **Liaison des épisodes**

— Antigone, au moment d'être emmenée (v. 925-928), avait assigné les *dignitaires thébains* (v. 940) devant le tribunal des dieux; ceux-ci, par la voix de Tirésias, citent immédiatement en justice les *Grands de Thèbe (s)* (v. 988).

— Antigone a toujours déclaré avoir enseveli son frère par amour fraternel, et cet amour fraternel se fondait en raison (v. 908), mais venait aussi d'une piété éclairée (v. 73 et 456); Tirésias parlera en envoyé des dieux (v. 998), puis donnera le conseil de la prudence (v. 1023).

— Créon reçoit assez mal le devin, car il n'aime ni les vieillards (v. 991) ni les prophètes (v. 631, 1053).

● **Un épisode capital : la dernière chance de Créon—** Il n'a pas même remarqué un signe encore discret de l'intervention des dieux (v. 257-258); quand on le lui signale, il ordonne le silence (v. 280); il n'entend pas davantage un second signe (v. 421); mais, avant de frapper, les dieux vont encore tenter de l'éclairer : ils vont parler par la voix de l'infaillible Tirésias. Avec lui, le destin entre en scène : Tirésias est le seul personnage dont l'arrivée ne soit pas annoncée par le coryphée : il ne vient pas, il apparaît. Toute la personne de Tirésias inspire une terreur religieuse.

● **Tirésias, prêtre éternel** — Il n'est pas un devin ordinaire : les secrets dont la divulgation lui a coûté la vue sont les secrets mêmes de l'Olympe. On ne sait s'il a deux ou trois cents ans, mais on dit qu'il a été homme, et puis femme, et qu'il ait redevenu homme : il sait tous les détours de l'humaine nature, et telle est sa connaissance des choses de l'avenir qu'il a conservé aux Enfers le don de prédiction. Naturellement il a, comme tout devin, le double pouvoir de prédire et d'accomplir (v. 1178). Il « voit » d'autant mieux qu'il est aveugle (v. 1014), et se distingue ainsi de tous ceux qui « ont des yeux, et ne voient point ». Grand initié, il communique avec toutes les Puissances du Ciel et des Enfers, et les notions de Haut et de Bas ont pour lui les valeurs que leur confère l'ésotérisme (v. 1064-71). L'horreur et la netteté de ses visions l'effraient souvent lui-même (v. 1060) : il n'est pas de ceux qui feraient des « signes » pour obéir aux caprices de la curiosité; il ne joue pas avec le sacré.

Il parle une langue sacrée : termes rituels (v. 1000); hardiesses verbales (v. 1002); connaissance des « mots » (v. 1027); sentences et proverbes (v. 1028). Sa description liturgique (v. 1005-1011) est d'un grand effet. Ses prophéties sont précises (v. 1079, 1206, 1302).

Au dernier moment il parle le langage de l'indulgence : il a soin de distinguer la faute (tout le monde en commet) de l'endurcissement, ou impénitence, qui seule est irrémissible. Ce dosage, très sacerdotal, de douceur et de fermeté est le fait d'un homme sûr de sa force.

Ce prêtre est la seule personne que Créon ne pourra faire taire : c'est en vain qu'il a voulu lui ôter la parole (v. 1049); c'est en vain qu'il essaie de lui dérober quelques-uns de ses traits (v. 1045-47 : 1031-32). Tirésias se charge de rétorquer à Créon ses propres métaphores (v. 1034 : 1085) sur un ton qui cloue l'adversaire au silence. Créon lui-même, après un accueil désinvolte (v. 991), n'a pas tardé à subir la présence de l'homme des dieux (v. 997).

① Jean Anouilh n'a pas retenu, dans son *Antigone*, le personnage de Tirésias. Comment expliquez-vous cette « laïcisation » du sujet? Favorise-t-elle l'émotion tragique?

② Tirésias et Joad (Racine, *Athalie*).

③ *Antigone* et *Œdipe-roi* font intervenir Tirésias. Dans quelle pièce le devin a-t-il, selon vous, le plus de relief?

Tu n'en as pas le droit, ni aucun dieu du Ciel,
et par là tu commets acte de violence.
Ouvrières de mort, attendant de te perdre,
1075 des dieux et de l'Hadès te guettent les Furies [1],
et dans les mêmes rêts te prendra le Malheur.
Regarde maintenant si ma langue est vénale [2] !
Encore un peu de temps, et des cris [3] lamentables
d'homme [4], de femme, en ton palais vont retentir.
1080 Elles vont s'émouvoir, les cités ennemies [5]
dont les fils en lambeaux doivent leur tombe aux
[chiens,
aux fauves, à quelque vol d'oiseau qui transportait
la sacrilège odeur vers leurs murs domestiques.
Car tu m'as irrité. Et, pareil à l'archer,
1085 mon courroux en plein cœur te décoche ses flèches
infaillibles : des traits que tu ne pourras fuir.
Enfant, ramène-moi dans ma demeure, afin
que lui, sur de moins vieux décharge sa colère
et sache, à plus de paix habitant sa langue,
1090 nourrir mieux qu'aujourd'hui la sagesse en son cœur.

(Tirésias s'en va. Long silence.)

LE CORYPHÉE. — Sire, il laisse en partant de terribles paroles.
Or, je le sais fort bien, depuis que sur ma tête
se sont en cheveux blancs mués mes cheveux noirs,
sa voix jamais encor n'a trompé la cité.

CRÉON. 1095 Je le sais comme toi; mon cœur en est troublé.
Il est dur de céder, mais il ne l'est pas moins
de heurter au Malheur un orgueil qui le brave.

LE CORYPHÉE. — Il faut être prudent, ô fils de Ménécée.

CRÉON. — Que dois-je faire, enfin ? Parle, j'obéirai.

LE CORYPHÉE. 1100 Va délivrer l'enfant du cachot souterrain;
au cadavre gisant érige son tombeau.

CRÉON. — Ce sont là tes conseils, et tu veux que je cède ?

---

1. Voir les vers 603 et 875. — 2. Voir le vers 1061. — 3. Voir les vers 1206 et 1302. — 4. L'asyndète appartient au texte grec; cette figure, des plus exceptionnelles, est révélatrice du courroux qui anime Tirésias, et qui ne va cesser de croître. — 5. Voir le vers 10. La revanche annoncée aura lieu dix ans plus tard : ce sera la guerre des Épigones; voir le vers 190.

LE CORYPHÉE. — Oui, Sire, et sans délai. Les châtiments des dieux
pour atteindre le crime ont d'agiles traverses[1].

CRÉON. 1105 Ah! je souffre, et pourtant je renonce à poursuivre :
à la Nécessité[2] l'on se mesure mal.

LE CORYPHÉE. — Va, fais ce que je dis, ne compte que sur toi.

CRÉON. — J'y vais, et de ce pas. Allez, allez, esclaves,
tous présents et absents : prenez en main des haches[3],
1110 et courez vers ce lieu qui de loin se remarque[4];
pour moi, puisqu'en ce sens s'est infléchi mon choix,
je délivrerai seul qui j'enchaînai moi-même[5],
car le mieux, je le crains, est qu'aux lois établies[6]
chacun vive docile aussi longtemps qu'il vit.

---

1. Souvenir significatif de la vitesse d'Achille. — 2. On commentera l'apparition de ce
mot. — 3. Afin de couper le bois pour le bûcher funèbre. — 4. Voir les vers 411 et
1197. — 5. Créon ira d'abord enterrer Polynice. — 6. Voir les vers 454 et 481.

STASIMON V

LE CHŒUR [1]

1115
O dieu des multiples vocables [2],
orgueil de l'enfant de Cadmos [3]
et fils de Zeus au sourd tonnerre,
hôte de l'illustre Italie [4],

1120
roi des universels [5] *vallons*
de l'éleusinienne Déô [6],
Bacchos, toi qui règnes dans Thèbes [7]

au berceau même des Bacchantes,
aux souples bords de l'Isménos
1125
où germa la dent du Dragon!

Sur le rocher à double pic [8]
— où, nymphes du Parnasse, dansent
en bonds exaltés tes suivantes —
1130
t'ont vu le feu clair de la torche

et la fontaine Castalie [9];
et tu viens des monts de Nysa [10],
escarpements couverts de lierre,

---

1. **Stasimon V,** sous forme d'hyporchème et en étroit rapport avec l'hymne à Éros (le Désir, v. 781 et suiv.). — 2. **Strophe I :** vif et passionné. — 3. Sémélé (voir p. 32). Doutant de l'identité de Zeus, son amant, à la suite des insinuations perfides de sa nourrice, elle avait désiré qu'il lui apparût dans toute sa gloire; celui-ci, qui avait juré par le Styx de lui accorder tout ce qu'elle lui demanderait, satisfit cette curiosité. Sémélé ne put soutenir la majesté du Très-Haut, et tomba frappée de mort. Dans l'incendie qui suivit cette fulgurante épiphanie, le corps à peine formé de l'enfant fut soudain protégé par un lierre que le maître des dieux avait fait naître du sol (le lierre sera plus tard la plante de Dionysos, v. 1133). — 4. Italie méridionale ou Grande-Grèce), où le culte de Dionysos était fort en honneur : nouvelle allusion à la récente fondation de Thurium, où Dionysos était l'objet d'un culte particulier (Diodore, XII, 10). — 5. L'initiation aux Mystères, théoriquement réservée à la nationalité athénienne, était accordée facilement aux autres Hellènes, à certains Barbares comme Anacharsis le Scythe (VIᵉ siècle av. J.-C.), et, au moins à partir de 329-328, elle le sera même à des esclaves. — 6. Voir p. 6. Aux Lénéia, le Dadouque, porteur de la torche éleusinienne, criait : « Appelez le dieu, fils de Sémélé, ô Bakkhos, donneur de biens. » Par sa mère Sémélé (cf. russe : *zemlja* = terre), Dionysos était un dieu de la fécondité et d'une religion à mystères; il pouvait donc aisément, par exemple en devenant fils de Déméter (*Gè-Mèter* = Terre-Mère, ici nommée *Déô* par une pieuse familiarité), être associé au culte éleusinien. — 7. Le culte de Dionysos, venu d'Asie, a rayonné de Thèbes sur tout le monde hellénique. — 8. Les deux Phédriades (= éclatantes), qui appartiennent au groupe du Parnasse et dominent le site de Delphes. Corycie est une grotte au pied du Parnasse (Pausanias, X, 32). Non loin de cette grotte, sur le plateau qui s'étend au pied de la montagne, se célébrait la fête triétérique en l'honneur de Zeus, à laquelle participaient les Bacchantes, ou Thyiades (v. 1149). — 9. Source du Parnasse, aux eaux très pures : la Pythie s'y baignait. — 10. Monts Nyséens, en Eubée. L'Euripe est le détroit (v. 1145) qui sépare la Béotie de l'Eubée, où Dionysos avait été élevé par des Nymphes, selon la version retenue par Sophocle.

LE CHŒUR. — *Bacchos, toi qui règnes dans Thèbes*
(Stasimon V, v. 1122)

Le Dionysos de Praxitèle, bronze

et du vert coteau de vignobles,
au chant divin de l'Évohé,

1135　　visiter nos thébaines rues.

De toi, Thèbes sur toute ville
obtient de souverains honneurs,
et de ta mère foudroyée [1] ;

1140　en ce jour qu'un mal violent
　　　　　　　　fond sur la ville et sur le peuple,
Porte vers nous tes pas sauveurs [2],

1145　franchis le sommet du Parnasse
ou le Détroit retentissant.

Chorège d'astres enflammés,
ô maître des clameurs nocturnes,
ô jeune rejeton de Zeus,

parais, ô Prince, environné
　　　　　　de ton escorte de Thyiades

1150　qui, toute la nuit délirantes,

célèbrent par leur chœur de danse
leur Dispensateur : IAKKHOS [3] !

---

1. Le culte de Dionysos se heurta, dès son arrivée en Grèce, à une très forte opposition, souvent officielle, dont le stasimon V est un écho : devant les débordements que semblait autoriser la nouvelle religion, on « fit appel » au temple de Delphes (voir p. 7). — 2. Le nouveau dieu devint une sorte de dieu complémentaire d'Apollon (qui « régnait » pendant le printemps et l'été ainsi que pendant l'arrière-saison ou automne), et régna pendant l'hiver; la frise occidentale du temple de Delphes était consacrée à la légende du nouveau-venu : son culte se disciplina (la danse diétérique des Ménades n'était qu'un pâle reflet des antiques « orgies »), et Dionysos prit parfois, comme ici, figure de dieu-guérisseur, ce qui du reste ne contredisait nullement le sens le plus profond de sa légende de dieu-sauveur et achevait de le rattacher aux divinités de l'espérance et du salut, comme Apollon et Dèmèter. — 3. *Iakkhos* est proprement le cri poussé pendant le retour des « objets sacrés » d'Athènes à Éleusis, lors des Grands Mystères : il personnifia bientôt (Aristophane, *les Grenouilles*, v. 324) le cortège dionysiaque, qui, parti de l'Agora le 19 Boèdromion, se rendait, par la Voie sacrée, à Éleusis où l'on arrivait le soir, tòutes torches allumées (cf. probablement le v. 1146) et où l'on eut tôt fait de l'associer étroitement au culte de Dèmèter et de sa fille Korè, à titre de fils de Dionysos thébain. Iakkhos devint ainsi la forme du dieu qui s'incarne sans cesse à Éleusis. Sous ce nom, qui élargit singulièrement le sens de notre stasimon, il était le Dispensateur, le Distributeur (cf. « Iakkhos aux cornes de bœuf » = dieu d'abondance, Sophocle, frag. 874), et bien des Athéniens devaient songer à la curieuse histoire d'Iakkhos-Libérateur-du-Territoire rapportée par Hérodote (VIII, 65) et qui se rattache à la victoire de Salamine.

● **Nature de ce stasimon** — L'hyporchème, inventé par Thalétas (VIIIe s. av. J.-C.), est un chant choral consacré à Apollon, à Artémis ou même, comme ici, à d'autres divinités. Accompagné de danses imitatives, il exprime particulièrement la joie. Celui-ci est particulièrement brillant : il culmine au vers 1141. C'est vraiment l'appel, plein de confiance et d'allégresse, d'une Ville sainte à l'adresse de son sauveur. Au dernier moment, cet appel s'élargit encore, et le dernier vocable du dieu prend un sens surnaturel de donneur de vie éternelle.

① Retrouvez, dans cet hyporchème, un « hymne clétique » (voir le stasimon III) et tirez de cette recherche des conclusions sur la « présence » du dieu invoqué.

② Comparez, d'autre part, ce stasimon au précédent, et montrez que le drame se trouve enveloppé dans le chant, mais que le chant émane étroitement du drame.

③ Quel est, à ce sujet, la raison d'être de l'espérance ? N'y a-t-il pas un mouvement tout à fait analogue à la fin du IVe acte de *Polyeucte* ? Montrez ce que cette joie peut recéler de tragique, et qu'au-delà du chant de mort, d'angoisse, et de la « leçon » qui termine les adieux d'Antigone, ce chœur rejoint le stasimon II.

④ Commentez ce mot du Chœur dans la pièce d'Anouilh : « ...c'est reposant, la tragédie, parce qu'on sait qu'il n'y a plus d'espoir, le sale espoir ».

Le Coryphée.-- *Quel malheur de nos rois viens-tu m'apprendre encore?*
(Exode, v. 1172)
Comédie-Française, mise en scène d'Henri Rollan, 19 juin 1951

J. Marchat (Créon) et A. Falcon (Hémon), Comédie-Française, 1959
Créon, portant dans ses bras le cadavre d'Hémon. - *Hélas!...*
(Exode, v. 1261)

Bernand

EXODE

LE MESSAGER. -[1155] Vous [1], des murs de Cadmos et d'Amphion les hôtes
il n'est, tant qu'elle dure, aucune vie humaine
que je veuille jamais ou célébrer ou plaindre;
car la Fortune élève et la Fortune abat
tour à tour l'homme heureux et l'homme malheureux
[1160] et nul ne peut prédire aux mortels leur destin.
Créon me paraissait digne d'envie naguère :
sauveur, sur l'ennemi, de ce sol cadméen,
puis maître du pays en monarque absolu,
ce prince florissait en des fils généreux.
[1165] Rien de cela n'est plus. Quand je vois le bonheur
déserter les humains, je ne dis plus qu'ils vivent
ils ne sont plus pour moi que de vivants cadavres.
Comble, dans un palais, tes vœux de biens immenses
vis en roi de grandeur entouré; tous ces biens,
[1170] si la joie n'y est pas, d'une ombre de fumée
pour moi n'ont pas le prix : rien qui vaille la joie [3].

LE CORYPHÉE. — Quel malheur de nos rois viens-tu m'apprendre encore

LE MESSAGER. — Leur mort. Et qui survit a causé cette mort.

LE CORYPHÉE. — Le nom du meurtrier? de la victime? Parle.

LE MESSAGER. -[1175] Hémon n'est plus; sienne est la main du meurtrier [4]

LE CORYPHÉE. — Est-ce la main d'un père, ou bien sa propre main

LE MESSAGER. — La sienne, en sa fureur d'un meurtre de son père

LE CORYPHÉE. — Devin, quel sûr effet prend de toi ton oracle !

LE MESSAGER. — Puisqu'il en est ainsi, reste à songer aux suites

LE CORYPHÉE. -[1180] Mais paraît près d'ici, toute sombre, Eurydice
épouse de Créon : elle sort du palais,
au seul nom de son fils, ou par quelque hasard

EURYDICE. — O vous tous, ô Thébains, j'ai perçu vos paroles
au moment de franchir notre seuil, pour aller
[1185] saluer et prier la déesse Pallas [6].

---

1. **Exode :** trimètres iambiques. — 2. Voir p. 32. — 3. Le raisonnement n'est pas sans
rappeler celui que Solon tient à Crésus, dans Hérodote. Cependant, ce passage de la tragédie
a toujours paru authentique (voir les v. 904-913). — 4. *Hémon... meurtrier* : lointain équivalent
du couple grec *Haimôn-haimassetai*. Les imprécisions des vers 1173, 1175 et 1177 sont volontaires
par fidélité au texte grec. — 5. Voir les vers 526 et 1257. Noter ici l'absence de mélodrame.
— 6. Athèna possédait deux temples à Thèbes, et une des portes avait reçu son nom.

Je tirais les verrous et la porte s'ouvrait,
quand je ne sais quel mot de malheur domestique
a frappé mes oreilles, et je tombe en arrière,
tremblante, entre les bras de serves, où je pâme.
1190 Quel était ce récit ? Reprenez-le pour moi :
je sais ce qu'est le deuil, et je puis vous entendre

E MESSAGER. — Pour moi, chère maîtresse, oculaire témoin
je ne cacherai pas un mot de vérité ;
car pourquoi, te flattant, risquer d'être plus tard
1195 pour menteur reconnu ? Rien n'est bon que le vrai.
     Je gagnais, sur les pas de ton époux mon maître,
la hauteur de la plaine où gisait, sans pitié
par les chiens déchiré, le corps de Polynice
Après avoir prié la déesse des routes [1],
1200 et Pluton, de calmer, propices, leur colère,
et lavé le cadavre avec de l'eau lustrale,
sur de frais rameaux verts [2] nous en brûlons les restes,
et dressons un tombeau de glèbe maternelle [3].
Ensuite nous allons vers le lit nuptial,
1205 vers l'antre que l'Hadès ouvre à la jeune fille.
Mais de loin, entendant monter des cris aigus
du tombeau sans honneurs, asile de l'hymen,
à Créon notre maître un de nous court le dire ;
et lui, d'appels confus mais déchirants cerné
1210 dès qu'il poursuit ses pas, soupire, et d'une voix
qu'il lance lamentable : « Infortuné, dit-il,
» aurais-je été devin ? Suis-je sur un chemin
» qui passe en âpreté les routes parcourues ?
» Mon fils... mon âme exulte à ta voix. Mes amis,
1215 » accourez, hâtez-vous. Vite, autour du tombeau,
» et voyez, à travers le joint du roc tombal,
» au seuil même arrivés, si c'est de mon Hémon
» que me frappe la voix, ou si les dieux m'abusent. »
D'un maître au désespoir accomplissant les ordres,
1220 nous regardons ; pour voir, tout au bout de la tombe,
Antigone étranglée, par le cou suspendue
au nœud qu'elle a formé du lin de sa ceinture ;
et près d'elle, en ses bras la serrant, et pâmant,
Hémon pleure l'épouse aux Enfers descendue,
1225 les crimes paternels et son amour perdu.

---

1. Hécate. Souvent confondue avec Perséphone (v. 894), elle est adorée ici comme déesse e la Mort et comme *déesse des routes*, car le cadavre a souillé toute la région. — 2. D'olivier. — . Réconciliation du traître et du sol natal.

Créon, dès qu'il le voit, lugubrement gémit,
pénètre jusqu'à lui, que sa douleur appelle :
« Malheureux, qu'as-tu fait ? Quelle était ta pensée
» Quel concours de malheurs t'a ravi la raison
1230 » Quitte ce lieu, mon fils, je t'en prie et supplie.
Mais ce fils, lui jetant de farouches regards,
lui crache en plein visage et, sans répondre un mo
tire sa double épée ; le père, s'effaçant,
fuit le coup, qui le manque ; alors l'infortuné,
1235 de fureur contre soi, les deux bras allongés,
en plein flanc d'appuyer [1] son épée ; il défaille ;
son bras (il vit encore) à la vierge s'enlace ;
et jaillit avec force, avec l'élan d'un fleuve,
sur une pâle joue, la gerbe d'écarlate.
Là, mort sur une morte, au rite nuptial
1240 il ne prend part hélas ! qu'à la table d'Hadès,
en exemple aux humains de ce que l'imprudence
à l'égard d'un roi même, entraîne de désastres.
(La Reine se retire.)

LE CORYPHÉE. — Que dois-je présumer ? La femme se retire
1245 et n'a pas dit un mot favorable ou funeste.

LE MESSAGER. — La Peur [2] me prend aussi. Mais je vis de l'espo
que son chagrin de mère à nul éclat public
ne daigne donner cours, réservant au foyer,
aux serves, le signal de son deuil domestique.
1250 Elle a trop de raison pour quelque geste indign

LE CORYPHÉE. — Je ne sais, mais je crois de menaces chargés
et l'excès de silence et les cris inutiles.

LE MESSAGER. — Eh bien, nous allons voir si quelque obscur dessei
en secret se comprime en son cœur ulcéré.

---

1. Vocabulaire épique, dans le ton de ce récit. Tout ce passage est susceptible d'interprétatio
diverses : *a) Le crachat* (voir le v. 653). P. Mazon, à la suite de tant d'autres, entendait (
voit assez pourquoi) ainsi le vers 1232 : « Il lui exprime son mépris par son visage ». *b) La tent*
tive de parricide. Aristote le croyait préméditée, en raison du vers 751, peut-être sans avo
tiré toutes les conséquences du vers 763 ; il donnait notre passage comme l'exemple d'un c
fort peu « tragique », où « le personnage sait ce qu'il veut, s'apprête à le faire, et ne le fait pas
c) Le suicide. Des traducteurs entendent, non pas « allongés », mais « écartés », ce qui donne
mort d'Ajax (*Ajax*, 816), au lieu de celle du barde de Temrah (Leconte de Lisle, *Poèm*
barbares). — 2. Même avec la majuscule, ce mot reste d'une faiblesse dérisoire pour exprim
la terreur sacrée que l'homme ressent en présence du surnaturel : cf. *Iliade*, I, v.199 ; II
v.398 ; IV, v. 77 ; et surtout XXIV, v. 482, où l' « étonnement » ne vient pas de la visic
d'un dieu, mais de celle du malheureux Priam, objet de la colère divine.

¹²⁵⁵ Entrons dans le palais : tu ne dis que trop vrai,
car l'excès de silence est un sinistre poids ¹.

LE CORYPHÉE. —   Mais voici que paraît le roi : il vient,
les bras chargés du souvenir insigne
1260   que ce malheur, si je puis dire ainsi,
n'a d'autre source que sa faute.

CRÉON

(Portant dans ses bras le cadavre d'Hémon)

Hélas! erreur d'un bon sens insensé!
O fatal endurcissement!

(Au chœur)

Voyez le meurtrier et
sa victime, unis par les liens du sang.
1265   *Funeste effet de ma vengeance, hélas!*
Hélas! mon fils, à jeune destin
hélas! hélas!
jeune toi-même succomber!
Mourir de ma folie, et non de la tienne!

LE CORYPHÉE.-¹²⁷⁰ Las! que tu sembles tard observer la justice!

CRÉON

Hélas!

Je la vois en mes maux. Sur ma tête, en ce jour,
en ce jour, frappe un dieu dont la force m'accable.
Il a fait chanceler par de cruelles voies
1275 *hélas! pour le fouler à ses pieds, mon bonheur!*

Hélas! hélas! mortels, quels ne sont pas vos maux!

SECOND MESSAGER.

—   O maître, en quel état et de quels maux victime,
les bras déjà chargés de cette mort, tu viens,
1280 semble-t-il, voir chez toi bientôt d'autres malheurs!

---

1. Eurydice (= celle qui subit dans toute sa rigueur le passage de la Justice) est chargée d'un flux divin de plus en plus sensible : le vers 1256 renchérit sur le vers 1251 (passage de l'adjectif au nom et à un mystérieux indéfini que nous avons rendu par *sinistre*); la Reine a curieusement sensibilisé ceux qu'elle a seulement écoutés. L'atmosphère est créée pour le *Kommos* de Créon (strophe 1, v. 1261; antistrophe I, v. 1284; strophe II, v. 1306; antistrophe II, v. 1328), plus tourmenté que celui d'Antigone car des unités anapestiques (∪ ∪ —) alternent avec des dochmiaques, le tout créant un rythme à dessein boiteux et haletant.

CRÉON. — Est-il de plus grands maux ? En est-il de nouveaux ?

SECOND MESSAGER.
— De la Mort, ton épouse — en tout mère [1] du mort — lamentable, à l'instant, vient de subir le coup.

CRÉON

Hélas ! Hadès, séjour inexorable,
1285   *pourquoi t'acharner à ma perte ?*

(Au second messager.)

O triste messager de
durs chagrins, quelle nouvelle annonces-tu ?
Las ! tu me donnes une seconde mort !
Ami, que parles-tu d'autre mort ?
1290   *Hélas ! hélas !*
du deuil, du sang, du deuil, du sang !
la Mort a pris mon épouse, et m'environne ?

SECOND MESSAGER.
— Tu vois la Reine : elle n'est plus dans le palais.

(L'eccyclème [2] tourne ;
la Reine apparaît couchée sur un lit funèbre.)

CRÉON.

Hélas !

1295 *Le Malheur à nouveau frappe mes tristes yeux.*
A quel destin de mort suis-je encore promis ?
Je porte dans mes bras ce qui fut mon enfant,
hélas ! et devant moi je rencontre la Mort.

1300 *O mère malheureuse, hélas ! O mon enfant !*

SECOND MESSAGER.
— Sous la pointe du glaive et près de cet autel fermant ses yeux obscurs, elle pleure à grands cris le premier de ses morts, Mégarée, et sa gloire,

(montrant Hémon)

ensuite ce trépas, et puis maudit en toi
1305 l'homme en qui ses enfants n'eurent qu'un meurtrier [3].

---

1. Un seul mot grec pour cette expression : Eurydice, avec une sobriété d'un étonnant relief, devient un des symboles de la Mère éternelle. — 2. Voir p. 16. — 3. Créon n'est pour rien dans la mort de Mégarée.

CRÉON.

Hélas! Hélas!
me voici fou d'épouvante! En plein cœur
pourquoi ne m'avoir mis les deux tranchants d'un glaive?
1310 *Malheureux que je suis, hélas!*
et malheur à présent fait homme!

SECOND MESSAGER.

— De ces récentes morts et des morts du passé
son expirante voix te déclarait coupable.

CRÉON. — Par quelle mort sanglante a-t-elle clos ses jours?

SECOND MESSAGER.

— 1315 Elle s'est de sa main frappée au creux du foie,
aux cris dont on pleurait le trépas de son fils.

CRÉON.

Hélas! de ces malheurs je n'accuse personne [1].
Oui, c'est moi, c'est moi seul hélas! qui t'ai tuée,
moi seul : rien de plus vrai. Hélas! mes amis,
1320 *au plus vite ôtez-moi de ces lieux,*
emmenez-moi bien loin,
1325 *moi dont l'être s'efface et redevient néant* [2].

LE CORYPHÉE. — Voilà de bons conseils, s'il en est dans les maux;
moins on voit le malheur, moins on le trouve lourd.

CRÉON.

Ah! vienne, vienne
et brille, entre toutes ces miennes morts,
1330 *celle qui, la plus juste, est le dernier instant*
de mon dernier jour; qu'au plus tôt,
me soit ravi tout lendemain [3].

LE CORYPHÉE. — Cela, c'est l'avenir; mêlons-nous d'aujourd'hui,
1335 car veillent sur demain ceux-là dont c'est la charge.

CRÉON. — Mes désirs en ces vœux se trouvaient réunis.

LE CORYPHÉE. — Ne forme point de vœux : du mal qu'il faut subir
il n'est pour les mortels aucune délivrance [4].

---

1. Rapprocher ce vers des v. 822 et 875. — 2. Voir le vers 567. — 3. Voir le vers 1114. —
4. Voir p. 29.

CRÉON.

Emmenez l'insensé, voulez-vous? loin d'ici!

1340 *Lui qui trancha tes jours, mon fils, sans le vouloir!*
et les tiens, las! malheureuse! et qui ne sait
de quel côté tourner ses regards.
1345 *Tout m'a glissé des mains,*
et sur ma tête un dur destin s'est abattu.

LE CORYPHÉE. — Garder prudence est, de loin, du bonheur
le meilleur gage; il ne faut point frustrer
1350 les dieux d'hommages; et de hautains discours
à l'orgueilleux valent de fières peines
quand il reçoit, en ses vieux jours,
de sagesse quelque leçon.

■■

● **L'exode** (p. 108 et suiv.)

① La préparation d'une atmosphère (v. 1155-1179) : ruine de Créon,
angoisse de Thèbes. Le caractère énigmatique et fragmenté de l'annonce
de ce malheur alourdit l'atmosphère. Y a-t-il là un procédé dramatique? Quel effet produit l'allusion au devin?

— De la présence du Malheur à la terreur sacrée : vers 1180-1256.

② Eurydice. Son nom seul la prédestine à subir « dans toute sa rigueur
le passage de la Justice » (voir p. 111, n. 1). Montrez que le châtiment
atteint à travers elle des dimensions épiques.

— Le drame (jusqu'à la fin, Antigone reste le personnage central),
le pathétique (*car l'amour et la mort sont une même chose*), le tragique
(l'« agile traverse » de la Fatalité) font de cet exode une leçon exem-
plaire...

— Le « sublime » de l'horreur : le départ de la Reine. La Peur s'empare tour à tour de tous les personnages...

Paraît Créon (v. 1261). On observera la succession de ses « découvertes », le caractère singulièrement tourmenté de sa complainte, au milieu d'un Sénat qui le craint encore...

Après le second récit, Créon semble « environné » de morts (v. 1292). Le désespoir d'Eurydice est immense, mais la reine s'efface devant la mère (v. 1282) : insoutenable vision du cadavre, vanité de la « gloire » des morts illustres, récapitulation (injuste!) des meurtres de Créon. Finalement, écrasé sous des « noms odieux » (v. 1305, 1312-1313), Créon est accablé par la mort de la malheureuse. L'agonie de la mère s'est prolongée sur cent trente-six vers, et les deux derniers mots rappellent à la fois la prédiction de Tirésias (v. 1079) et toute une existence de malheurs (dans le texte grec).

Créon reconnaît son exclusive culpabilité (v. 1317), et n'aspire plus qu'au néant (v. 1325) : en vain. Qu'il ne forme pas de vœux! il n'y a pas de délivrance. Créon n'est plus seulement « environné » de morts, il est littéralement pris et traqué dans les rêts du Malheur selon la prédiction de Tirésias (v. 1076) ; et, par un implacable retour, il devra subir une « aggravation de la peine de vie » (v. 1344-1346).

— Sur des conseils de prudence, de mesure et de piété, le chœur se retire.

③ Comparez cet exode avec le dénouement de la *Phèdre* de Racine : ressemblances (vraisemblance, éléments de surprise, rapidité, récits, conclusion d'une crise, pathétique) et différences (incertitude sur le sort de certains personnages, présence de cadavres, expression du pathétique).

④ Fénelon écrivait, à propos des complaintes (*Lettre à l'Académie*) : « Sophocle ne fait dire [...] que des mots entrecoupés; tout est douleur [...]. C'est plutôt un gémissement, ou un cri, qu'un discours ». Qu'en pensez-vous ?

⑤ Étudiez, dans *Antigone*, *Polyeucte* (acte IV) et *Phèdre* (acte III), la présence de l'Invisible.

⑥ La conversion de Créon. Existe-t-elle ? En quoi consisterait-elle ?

⑦ Quelle est, selon vous, la morale d'*Antigone* ?

⑧ Commentez ce texte de Jean Anouilh (p. 58) : « On est pris, [...] on est enfin pris comme un rat, avec tout le ciel sur son dos [...], on n'a plus qu'à crier — pas à gémir, non, pas à se plaindre — à gueuler à pleine voix ce qu'on avait à dire, qu'on n'avait jamais dit et qu'on ne savait peut-être même pas encore. Et pour rien : pour se le dire à soi, pour l'apprendre, soi. »

⑨ En vous appuyant sur les œuvres que vous connaissez, expliquez et discutez cette définition d'un critique contemporain : « Une tragédie, c'est un drame poétique où un homme, à la fois criminel et innocent, atteint à une sorte de grandeur quand le Destin le punit de sa démesure. »

DOCUMENT

Voici l'exode de l'ANTIGONE d'Anouilh. Créon resté seul, songe avec accablement aux nécessités des affaires courantes et à la misère de la destinée humaine aux prises avec ces servitudes. Entre-temps est arrivé son page. L'heure sonne au loin, Créon murmure :

CRÉON. — Cinq heures. Qu'est-ce que nous avons aujourd'hui à cinq heures?

LE PAGE. — Conseil, monsieur.

CRÉON. — Eh bien, si nous avons conseil, petit, il faut y aller.
(Ils sortent, Créon s'appuyant sur le page.)

LE CHŒUR *s'avance.* — Et voilà. Sans la petite Antigone, c'est vrai, ils auraient tous été bien tranquilles. Mais maintenant, c'est fini. Ils sont tout de même tranquilles. Tous ceux qui avaient à mourir sont morts. Ceux qui croyaient une chose, et puis ceux qui croyaient le contraire — même ceux qui ne croyaient rien et qui se sont trouvés pris dans l'histoire sans y rien comprendre. Morts pareils, tous, bien raides, bien inutiles, bien pourris. Et ceux qui vivent encore vont commencer tout doucement à les oublier et à confondre leurs noms. C'est fini. Antigone est calmée maintenant, nous ne saurons jamais de quelle fièvre. Son devoir lui est remis. Un grand apaisement triste tombe sur Thèbes et sur le palais vide où Créon va commencer à attendre la mort. *(Pendant qu'il parlait, les gardes sont rentrés. Ils se sont installés sur un banc, leur litre de rouge à côté d'eux, leur chapeau sur la nuque, et ils ont commencé une partie de cartes.)* Il ne reste plus que les gardes. Eux, tout ça, cela leur est égal ; c'est pas leurs oignons. Ils continuent à jouer aux cartes...

(Le rideau tombe rapidement pendant que les gardes abattent leurs atouts.)

Cl. Bernard

UNIVERSALITÉ DU MYTHE

Théâtre de Tahiti
au Théâtre des Nations, 1959

Antigone créole
de Félix Morisseau-Leroy

Clovis Bonhomme
et Odette Wiener

Cl. Lipnitzki

Antigone
de Jean Anouilh

J. Servais (CRÉON)
et
. Watteau (HÉMON)

Théâtre
de l'Atelier, 1959

UNIVERSALITÉ DU MYTHE

Susana Mara dans l'*Antigone* de Léopold Maréchal

Mise en scène de Pedro Scudero pour la Compagnie argentine
Théâtre des Nations, 1962

ÉTUDE D'«ANTIGONE»

1. Texte et traduction

Le lecteur n'a pu avoir sous les yeux qu'une approximation du texte d'*Antigone*. Sophocle, dans les moments pathétiques, aime employer un large vers de quatre mots (v. 1239), et le traducteur français est contraint de doubler ces quatre mots-clefs d'autant de mots-outils. Le grec ne fait qu'un usage assez restreint de l'adjectif possessif qui prend volontiers une valeur stylistique; c'est la raison de sa fréquence dans le texte tragique : faudra-t-il, pour exprimer cette valeur, recourir à des procédés « littéraires » qui deviendraient vite insupportables? Même impuissance à rendre le rythme des chœurs : lorsqu'un Français a diversement dosé des « vers » de six, de sept, de huit, de dix ou de douze syllabes, il est presque à bout de ressources. Encore sa « versification » risque-t-elle de n'être qu'un mensonge s'il n'avertit pas que tel vers grec a la longueur d'un trimètre ïambique sans en avoir la mesure (v. 583-585).

Tels sont les pièges de la « traduction métrique » : le traducteur se trouve fatalement pris entre du pseudo-Racine et du pseudo-Corneille, quand ce n'est pas du pseudo-Voltaire. S'il a de la « facilité », il risque de prendre le ronron de l'abbé Delille pour la vie du texte sophocléen; s'il est consciencieux, il lui faut essayer de trouver, plus de douze cents fois, quelque lointain reflet du miracle grec. On voit d'ici la démesure... Cherchant à gagner un lecteur moderne, nous présentons néanmoins notre travail sous forme métrique : on s'accordera peut-être à reconnaître à l'instrument ainsi élaboré l'avantage de la commodité. Au demeurant, c'était la seule façon de rendre moins insensibles la noblesse, l'exactitude et la force du souffle, les ressources de la passion, la vertu « d'un mot mis en sa place » et, trop rarement, les harmoniques d'une incomparable partition.

Sur d'autres points, l'impuissance du traducteur est sans remède : prenons d'abord le mélange des dialectes (v. 825-829) :

> *...La fille de Tantale,*
>
> *au sommet du Sipyle,*
>
> *serrée dans sa prison de lierre.*
>
> *Sous la plante tenace, elle, dit-on, couverte*
>
> *de neige et de pluie harcelée...*

Qui oserait respecter à ce point le langage d'Antigone? De bien des passages, qui posent encore au philologue de redoutables problèmes d'interprétation, aucune hardiesse de traduction ne peut donner l'idée sans prêter à sourire. Et que dire de la langue? Ne parlons pas de l'intraduisible *pammêtôr* (v. 1282), mais seulement de *lalèma* (v. 320), trop familièrement traduit par « caquet », puisqu'il s'apparente à *phrônèma* (= le penser)!... Comment traduire *atè*, qui est à la fois erreur et malheur? et *hamartia* (= manquement), qui est à la fois erreur et faute? ou *anankè* (= étreinte, étau, ou

flèche), qui ne sera jamais, pour un Français, que le term
« Nécessité »? Faut-il avouer que chaque mention du « Destin
introduit, dans un texte grec, une notion qui lui est étrangère

2. Le tragique

Le sentiment immémorial du tragique peut se définir comm
l'affrontement, dans une conscience, de la fatalité et d'une liber
ironique qui laisse au héros, plus grand que ce qui le tue, un répi
fort bref pour choisir entre deux façons de périr, soit moralemen
en renonçant à son idéal, soit physiquement s'il reste fidèle à se
principes. Pas de tierce solution : c'est l'étau de la Nécessité
Achille et Étéocle en ont connu l'étreinte (voir p. 12).

Quand et comment le héros s'est-il ou a-t-il été mis dans une situation
de ce genre? Au « moment tragique », quand lui-même (s'il es
coupable), quand les autres (s'il est innocent) ont commis l'erreu
fatale (*atè*), monstrueuse ou imperceptible, mais toujours mortelle
que l'on ait contracté soi-même ou que l'on ait hérité la souillure
la malédiction frappe la maladresse autant sinon plus que le mal
Ulysse, dans la pièce de Giraudoux, reprocherait moins aux Troyen
d'avoir enlevé Hélène que de l'avoir « mal enlevée ».

① Montrez comment Créon et Antigone se trouvent, bien qu
diversement, dans une situation tragique.

La terreur tragique est une sorte d'horreur sacrée qui s'empare
du spectateur devant l'étendue des ravages causés par l'Erreur
elle frappe le coupable, et fait de lui l'incarnation du malheur
elle frappe aussi les innocents.

L'admiration est inséparable de la grandeur des héros innocents
leur lucidité, leur volonté, leur force d'âme, leur indifférence aux
passions les transfigurent en héros parfaits, aussi proches que
possible du héros cornélien. Comme lui, ils ont le culte de la « gloire »

② Faites la part de l'admiration et de la terreur dans *Antigone*

Le héros tragique

③ Peut-on dire, avec ARISTOTE (*Poét.*, XXV, 1460 *b*, 33), que
Sophocle « représentait les hommes tels qu'on devrait les représenter
tandis qu'Euripide les représentait tels qu'ils sont »?

« Ce qui est clair, écrit M. KAMERBEEK (« Individu et norme dans
Sophocle », *in* Jacquot, p. 34), [...] c'est que Sophocle considérai
l'art de son rival, en tant que représentation de l'homme, comme un
art que nous qualifierions de réaliste. Il semble qu'il ait voulu
exprimer, par rapport à son propre art, que celui-ci représentai
les hommes de façon telle que la tragédie restait possible et que la
légende héroïque ne risquait pas d'y perdre son sens. »

Les limites de la stylisation :

« Sophocle abandonne la structure trilogique et augmente beaucoup
l'importance des protagonistes par rapport à l'ensemble de chaque
pièce. L'action se centre sur la destinée d'un ou deux individus
L'interprétation des légendes se présente comme la représentation
de la grandeur et des limites de l'homme par la mise en scène d'une
destinée d'homme à stature héroïque et à traits individuels fortemen

marqués. Tout se passe comme si le poète s'était demandé avant tout : quel a dû être le héros, ou l'héroïne, qui selon la légende s'est comporté en telles circonstances de telle manière ? Comment son passé explique-t-il ses actes (ou ses souffrances) ultérieurs ? Ou encore : quels sont donc les traits par lesquels les héros, les hommes supérieurs, se distinguent du commun des mortels ? Quelles sont les sources de leur volonté d'agir ou de leur capacité de souffrir ? Il est évident que, dès que d'une manière ou d'une autre des questions de ce genre se sont présentées à l'esprit du poète, les personnages n'existeront plus exclusivement ou principalement en fonction de la fable, mais les faits de celle-ci seront considérés comme provenant, du moins dans une certaine mesure, du caractère des *dramatis personae* » (Kamerbeek, article cité, p. 32-33).

① Peut-on, à propos des personnages de Sophocle, parler de « types individualisés » (l'expression est de Lanson à propos des héros balzaciens) ?

3. Les leçons morale et politique

La tragédie a pu longtemps s'apparenter à ce que nous appelions au Moyen Age une « moralité » : la première tragédie grecque traduite en français, *Électre* (par Lazare de Baïf, 1537), a même été présentée et acceptée comme telle. Simple et direct, il y a toujours eu cet enseignement donné par le coryphée à la fin de l'exode, et sans doute beaucoup de spectateurs qui n'avaient guère ratiociné sur la *catharsis* ont dû se trouver bien, en mainte circonstance de leur vie, de se régler sur ces éternels conseils de prudence et de modestie : c'est ainsi que La Fontaine inspire beaucoup de braves gens qui ne savent de lui que les cinq ou six fables qu'ils ont apprises sur les bancs de l'école.

② Appliquez à *Antigone* cette constatation de CAMUS, tirée d'une conférence, fort peu connue, faite à Athènes en 1955 :

« Le chœur donne principalement des conseils de prudence [...]. Il sait que sur une certaine limite tout le monde a raison et que celui qui, aveuglément ou par passion, ignore cette limite, court à la catastrophe pour faire triompher un droit qu'il croit être le seul à avoir. Le thème constant de la Tragédie antique est ainsi la limite qu'il ne faut pas dépasser [...]. Le chœur tire la leçon, à savoir qu'il y a un ordre, que cet ordre peut être douloureux, mais qu'il est pire encore de ne pas reconnaître qu'il existe. La seule purification revient à ne rien nier ni exclure, à accepter le mystère de l'existence, la limite de l'homme, et cet ordre enfin où l'on sait sans savoir : *Tout est bien*, dit Œdipe, et ses yeux sont crevés. »

③ Appliquez à *Antigone* également ce jugement de KAMERBEEK (article cité) :

« La tragédie, selon le poète, c'est la ruine, c'est la souffrance d'un être supérieur, ruine et souffrance qui ne sont acceptables qu'à cause de la grandeur non diminuée du héros. Ruine et souffrance font partie de l'ordre divin du monde, font partie de la condition de l'homme. C'est l'attitude héroïque qui leur prête un sens. »

Pour la « leçon politique », (voir p. 12, 15, 50, 62 et 78), il existe une interprétation hégélienne d'*Antigone*, que GIRARD a ainsi exposée et réfutée (*op. cit.*, p. 161 et suiv.) :

« Hegel [...] juge qu'il y a non seulement deux victimes, mais deux coupables : l'un des deux [...] a méconnu les droits de l'État, l'autre ceux du sang. [Bœckh] émet la même proposition et la développe [...] dans un sens un peu différent [...]. Il y a, dit-il, en face de deux puissances respectables, la religion de la famille et la loi de l'État, deux criminels justement punis : Créon, dont l'obstination cruelle entraîne la perte de son fils Hémon et de sa femme Eurydice, et Antigone elle-même, moins coupable que son adversaire, mais digne de blâme pour avoir oublié la réserve que lui commandait son sexe et violé audacieusement les lois de la Cité. Elle est, comme dit le chœur, *la vraie fille de l'intraitable Œdipe* ; fatalement égarée par la passion, *elle s'est heurtée contre le trône élevé de la justice*. En définitive, elle porte la peine d'une inutile transgression, car les dieux n'avaient pas besoin d'elle pour venger les droits outragés de la famille, et elle n'avait qu'à les laisser faire [...]. En réalité [...] Antigone [...] a toute notre sympathie, et Sophocle a voulu qu'elle l'obtînt. Comme le remarque très bien M. Woolsey, non seulement l'effet direct de son rôle, si pathétique, nous inspire cette sympathie, mais nous y sommes disposés par la plupart des autres rôles [...]. Créon est un tyran [...]. Le langage de Créon, ses formes impérieuses et violentes, ses soupçons, sa cruauté raffinée, lui en donnent le caractère, bien qu'il soit revêtu régulièrement de l'autorité, et que ses défauts, d'abord seulement indiqués, n'éclatent que dans l'ardeur de la lutte. Il n'est donc pas tout à fait exact de ramener le sujet d'*Antigone* à une opposition entre la famille et l'État ; ou du moins il faut remarquer que la notion n'y paraît pas avec toute sa force. La tyrannie, telle qu'elle était représentée au théâtre, excluait plutôt qu'elle n'admettait l'idée d'un pouvoir légitime. »

4. La tragédie en dehors des règles et des genres

① Peut-on appliquer à *Antigone* le jugement suivant de J. PERRET (article cité, p. 19) ?

« A l'époque de Sophocle, il n'existe pas de définition de la tragédie, et nous ne disposons guère que de notre sens littéraire pour étudier les œuvres des grands tragiques [...]. Ils n'ont laissé ni préfaces ni examens de leur pièces ; ils n'étaient pas aux prises avec des doctes, comme Corneille et Racine. Ces créateurs précédaient toute critique, et les honnêtes gens qui se pressaient au spectacle n'ont laissé ni confidences ni mémoires. Toute tragédie grecque est un peu « la bouteille à la mer », et c'est cela qu'il faut bien remarquer d'abord, et ne jamais oublier [...]. L'auteur dramatique ancien ne trouve devant lui aucune structure extérieure pour stimuler son esprit : il conte, il avance, tout simplement. Si l'on trouve [...] des parties dans son œuvre, ce n'est pas autrement qu'on pourrait en trouver [...] dans un passage épique suffisamment développé ; en fait, les unités se déterminent mal, empiètent les unes sur les autres, ou mieux se fondent les unes dans les autres. L'œuvre se dérobe à une vue synthétique : il y a des longueurs dans les pièces les mieux réussies. »

Nous avons proposé une définition de la tragédie athénienne (voir p. 22). Voici la définition proposée par Wilamowitz-Mœllendorf : « C'est un morceau, complet en soi, de la légende héroïque, traité par un poète dans un style élevé pour être représenté par un chœur de citoyens athéniens et deux ou trois acteurs, dans le sanctuaire de Dionysos, comme partie intégrante du culte. »

① Appliquez à *Antigone* cette définition un peu formelle de la tragédie, et faites apparaître, dans la mesure du possible, l'élévation du style, et la « poésie » de Sophocle.

② Drame, ou poème dramatique? Expliquez et discutez ce jugement de J. Perret (article cité) :

« Le théâtre antique ne nous présente pas tant des drames (au sens moderne d'action) que des poèmes [...]. Les choristes sont évidemment des chanteurs ou des récitants plutôt que des êtres chargés d'incarner des hommes de chair et d'os [...]. Les messagers [...], en un statut intermédiaire entre le chœur et les personnages [...] sont eux aussi des récitants, voix par qui s'exprime directement le poète [...]. L'acteur masqué est une des voix d'un poème. »

Les notes et commentaires qui accompagnent notre traduction, et cette traduction elle-même, feraient plutôt apparaître l'aspect dramatique du texte, la rigueur et l'intensité de l'action jusque dans les parties lyriques : nous avons, après tant d'autres, présenté avant tout l'homme de théâtre que fut Sophocle ; les rapprochements avec notre scène classique ont été multipliés dans cet esprit.

La perspective actuelle n'est plus celle du xixe siècle. Henri Patin écrivait (p. 271) : « Ce qui suit la mort d'Antigone, plus encore que ce qui suit la mort d'Ajax [...], est un complément nécessaire qui, je n'en doute pas, a dû appartenir au plan primitif de Sophocle. »

③ Girard (p. 167) rétablirait ainsi l'unité de l'action : « Rien n'obligeait le poète à introduire l'amour dans sa tragédie. La tradition du théâtre, à la différence du théâtre moderne, semblait plutôt l'en détourner, et la légende ne l'y invitait point [...]. C'est donc Sophocle qui a inventé l'amour d'Hémon et qui l'a fiancé avec Antigone. Il l'a fait à une double intention : il a voulu unir ainsi la seconde partie de son drame à la première, car c'est le désespoir d'Hémon qui est la transition de l'une à l'autre, et d'abord il a voulu achever le caractère de son héroïne ». Commentez et, au besoin, discutez ce jugement (cf. ceux de Woolsey, p. 122, et de Kamerbeek, p. 120).

« Antigone », chef-d'œuvre de Sophocle

④ Commentez ce jugement de Paul Mazon : « Sophocle, tout en soutenant ouvertement une thèse et en conservant au personnage d'Antigone une valeur de symbole, s'est efforcé constamment de respecter la vraisemblance psychologique. Son drame n'a rien d'abstrait, il est avant tout humain. Ajoutons qu'il est un chef-d'œuvre d'art dramatique : *Antigone* est assurément la plus belle des pièces de Sophocle. »

5. L'âge de la critique

La tragédie vue par Platon — Platon se sentait peu attiré vers un genre aussi démocratique que la tragédie (voir p. 15, et *An'igon* vers 730-745); mais, grand poète lui aussi, il devait se sentir charm par une pareille réussite. Il est, à notre connaissance, le premier avoir porté un jugement sur le « plaisir » du spectateur et sur « désir de plaire » de l'auteur. Admirant et condamnant à la foi il écrit (*Gorgias*, 502 *b*) : « Cette vénérable et merveilleuse forme d poésie, la tragédie, à quoi s'efforce-t-elle ? Est-ce à plaire uniquemen comme je le crois ? Il est bien évident qu'elle tend plutôt à êt agréable et au plaisir des spectateurs ».

① Expliquez ce jugement, et faites-en apparaître la portée.

La tragédie définie par Aristote (*Poétique*, VI, 21 et suiv., tra Hardy) — « La tragédie est l'imitation d'une action de caractè élevé et complète, d'une certaine étendue, dans un langa relevé d'assaisonnements d'une espèce particulière suivant l diverses parties, imitation qui est faite par des personnages e action et non au moyen d'un récit, et qui, suscitant pitié et craint opère la purgation propre à de pareilles émotions.»

Cette définition est surtout fondée sur la tragédie euripidienn dont on sait la vogue étonnante au ive siècle av. J.-C.

Quelques éclaircissements s'imposent :

Langage relevé : celui qui a « rythme, mélodie et chant ».

Assaisonnements d'une espèce particulière : le mètre et surtout chant.

Parties : le spectacle, le chant, l'élocution, les caractères.

Purgation : nous éprouvons, sans dommage pour nous et av plaisir, des émotions inévitables comme la crainte et la piti c'est une sorte d'immunisation qui doit profiter au public.

Pitié : il s'agit essentiellement de « commisération », et moins d partage que de l'extension de la douleur et du mal. C'est un sentime dont on ne veut guère (*La double souffrance, ô femme, est un gran mal*, dit le chœur à Tecmesse), et plus tard Sénèque aura so d'éliminer la *misericordia* au profit de la « clémence » (= faculté d concevoir la peine d'autrui). Dans Aristote, cette commisérati est inspirée par l' « humanité », et s'adresse au personnage q expie au delà de sa faute.

② Opposez l'esprit de la définition aristotélicienne au jugement d Platon.

De la « pitié » à la tragédie passionnelle — Il serait dangereux et imm ral d'éprouver de la pitié pour un être pervers, ou pour un héros pa fait injustement accablé par le malheur, et il convient de créer u nouveau type de personnage tragique, le « médiocre », qui, sa être éminemment juste et vertueux, tombe dans le malheur n par méchanceté ou perversité, mais par la suite de quelque erre commise. Comme la seule façon de tomber dans le malheur sa être criminel est de succomber à la passion, on entrouvre la porte tragédie passionnelle, où la terreur et la pitié prendront un se fort voisin du sens racinien, et fréquent dans Euripide. Comm celui-ci a remporté sa première victoire en 441, l'espèce d'attendrissement qui nous saisit devant les épreuves réservées aux personnages quasi parfaits d'Eschyle et de Sophocle a dû infléchir assez tôt la dramaturgie dans le sens de l' « humanité », de la pitié, de la peinture amoureuse et des interventions miraculeuses d'En-Haut. C'est ainsi, toute proportion gardée, que, dès le xviiie siècle, l'on refera certaines fables de La Fontaine dans le sens de l' « humanité ».

① Observez-vous de la pitié dans l'*Antigone* de Sophocle?

② Commentez ces considérations de H.D.F. KITTO (« Déclin de la Tragédie... » *in* Jacquot, p. 65-73) :

« Antigone est absolument innocente, pourtant elle est détruite; les dieux et leur *dikè* la laissent mourir. *To philanthrôpon* (= l'humanité) aurait fait intervenir les dieux, aurait provoqué quelque miracle, l'aurait sauvée. La *dikè* de Sophocle est plus naturelle, plus vraie : la loi universelle des dieux n'empêchera pas, ne peut pas empêcher un homme déraisonnable ou méchant de faire ce qu'il veut, mais elle fait en sorte qu'il subira le contre-coup de sa méchanceté ou de sa folie. »

Vers la priorité de l'action — Aristote étudie spécialement la « fable » en philosophie pour qui l'acte est l'aboutissement de la puissance, et l'activité l'idéal de l'homme : peindre l'homme, c'est le montrer agissant. Peu à peu l'on s'oriente vers la formule dramatique qui donnera la priorité à l'action. Voilà pourquoi, en face d'une tragédie grecque qui passe successivement du récit et du lyrisme à l'action, la tragédie classique, en France, repartira de l'action volontiers chargée de « matière » : au moment où nos auteurs de comédies pratiquaient la « contamination » (Montaigne, *Essais*, II, 10), Garnier, pour son *Antigone* (1580), s'inspirait à la fois de Sophocle, d'Euripide, de Sénèque et de Stace... Rotrou en fera autant en 1638.

Les « Antigone » classiques

On peut dire que ces tragédies d'humanistes et de lettrés n'ont de sophocléen que le titre. Influence d'Aristote d'une part, influence de Sénèque de l'autre, discontinuité de la représentation (les cinq actes), priorité de l'action et de l'étude du cœur humain, importance de l'amour et de la pitié, respect croissant des règles et des « trois unités », transfigurent le texte de Sophocle. L'esprit surtout n'est plus celui de son drame : GARNIER, profondément catholique, a écrit, au fond, une tragédie chrétienne sur la Providence ; dans ROTROU, Polynice et Antigone tendent à confondre l'aspiration à la justice et l'abandon aux grandes passions; et l'héroïne, qui, dans Sophocle, connaît de mieux en mieux à la fois sa nature et les raisons de son acte, est incapable de répondre à Créon autrement qu'en affirmant son amour passionné pour son frère. Rien de plus piquant cependant que les efforts avec lesquels tous ces écoliers d'Aristote, de la meilleure foi du monde, annexent la tragédie pré-aristotélicienne de Sophocle : signalons, à titre de curiosité, l' « examen d'*Ajax* » dont l'abbé d'Aubignac a fait suivre, en 1669, sa *Pratique du théâtre*,

et qui révèle dans cette pièce une superstitieuse application d[...]
règles. On en était venu à lire Sophocle tel qu'il aurait dû être[...]

① **Sophocle-Corneille** (Émilie dans *Cinna*). — Commentez [...]
rapprochement de R. GENAILLE (article cité) :

« C'est l'action d'Émilie qui a tout conduit. Et par quelle rais[...]
profonde cette « sainte, cette adorable furie » obtient-elle le triomph[...]
Ce n'est pas, malgré les apparences, c'est par un vil sentiment de ve[...]
geance ou par ardeur politique, c'est par exigence de la justic[...]
Elle distingue la loi morale de tous les pouvoirs de fait, elle[...]
l'orgueil de se sentir l'incarnation de la justice. Dès lors, qua[...]
Auguste pardonne, elle peut renoncer, son but est atteint. E[...]
a fait mieux que tuer cet homme qui incarnait la tyrannie, l'inju[...]
tice. Elle l'a contraint à dépouiller le tyran qui était en lui [..[...]
Comme Antigone, mais avec une âme plus trouble, plus nuancé[...]
Émilie, défendant la même cause, supporte tout le poids d'u[...]
lutte farouche, impose sa grandeur à ses amis, à ses ennemis. Sa[...]
elle, la tragédie n'aurait pu être ce combat contre toute petites[...]
pour toute générosité... A la fin, la clarté est totale. »

② **Sophocle-Racine** (voir p. 29). Examinez *Antigone* à la lumiè[...]
de la formule racinienne (Première préface de *Britannicus*) :
tragédie est « une action simple, chargée de peu de matière[...] et q[...]
s'avançant par degrés vers sa fin, n'est soutenue que par les intérê[...]
les sentiments et les passions des personnages ». Si cet examen[...]
révèle « positif », quelle conclusion tirez-vous de la rencontre [...]
deux systèmes dramatiques, en vérité si éloignés l'un de l'autre?[...]

③ Examinez cette boutade d'un sincère et fervent admirateur [...]
Racine (il vient de faire lire à un jeune homme assez peu cultiv[...]
récemment arrivé en France, des traductions de tragédies grecque[...]
lui demande) :

« Comment trouvez-vous ces tragédies grecques? — Bonnes po[...]
des Grecs », dit l'Ingénu. Mais quand il lut l'*Iphigénie* modern[...]
Phèdre, Andromaque, Athalie, il fut en extase, il soupira, il versa d[...]
larmes, il les sut par cœur sans avoir envie de les apprendre[...]
(VOLTAIRE, *l'Ingénu*, 1767).

7. Les « Antigone » modernes

1842 : représentation « archéologique » à Berlin.

1844 : représentation « archéologique » à Paris. La préface du « text[...]
est très dure pour... Racine.

Après J.A. HASSE (1723), TRAETTA (1772, un chef-d'œuvre[...]
MENDELSSOHN-BARTHOLDY (1884) puis SAINT-SAENS (1893) o[...]
créé des opéras qu'ils ont intitulé *Antigone*. ARTHUR HONNEGG[...]
a écrit la musique d'une adaptation scénique de l'*Antigone* [...]
Jean COCTEAU, et l'a transformée en drame lyrique en 1927. E[...]
1930, P.-G. BOURGEOIS a tenté un admirable essai de reconstitutio[...]
de la complainte d'Antigone; cette reconstitution repose sur u[...]
gamme diatonique, c'est-à-dire construite sur le demi-ton, ma[...]
la musique grecque connaissait le quart de ton.

Enfin, le 4 février 1944, Jean ANOUILH a fait jouer son *Antigo*[...]
(voir A. Lesky : « Sophocle, Anouilh et le tragique », *Revue Nouvell*[...]

mars 1949, p. 231-245). C'est une œuvre qui porte en filigrane les divisions qui déchiraient alors la France, mais au-dessus de tout esprit partisan. C'est une œuvre ingénieuse, truffée de traductions du texte sophocléen. C'est avant tout une œuvre originale où les figures d'Antigone et de Créon s'opposent, à vrai dire dans le monde de l'absurde et sur le problème du bonheur. L'entrée du chœur contient une poétique d'une juste et puissante largeur de vues; mais, si le spectacle est continu comme dans le drame grec, on n'y reconnaît pas les dignitaires thébains.

① Adaptez à la pièce de Jean Anouilh cette parole de La Fontaine sur l'imitation des Anciens :

> *... et ce champ ne se peut tellement moissonner*
> *Que les derniers venus n'y trouvent à glaner.*

En 1945, BRECHT a adapté l'*Antigone* de Sophocle d'après la traduction d'HÖLDERLIN, et l'a munie d'un prologue. L'action se situe dans le Berlin d'avril 1945 : le mythe d'Antigone connaît un regain de vie à chacune des grandes épreuves de l'humanité.

3. Conclusion

② Que penser de ce jugement d'ANDRÉ BONNARD (*la Tragédie et l'Homme*, 1951, p. 109-110)? :

« Et déjà en ce terrible récit où nous connaissons la mort d'Antigone, en cette minute du drame où Créon s'abat sur le corps de son fils, si l'atroce vision de la fille pendue, si la nudité du désespoir de Créon nous inondent de joie, c'est aussi qu'une certitude nous transperce, c'est qu'une violente confiance en nous-mêmes nous redresse face au destin : nous savons qu'en cette minute de la tragédie un monde humain a commencé de naître, un monde où nulle Antigone jamais ne sera vouée au supplice, nul Créon plongé dans la stupeur, parce que l'homme, saisissant l'épée qui le divisait et désormais égal à la fatalité, aura vaincu les forces tragiques. »

③ Et que penser du jugement de J. JACQUOT (ouvrage cité, p. 523)? « Toute authentique tragédie est un monde possédant une existence objective par la vertu de son verbe poétique et de sa structure dramatique. Elle est porteuse [...] de questions redoutables sur la condition humaine. A ces questions il n'y a pas de réponses toutes faites car elles sont inscrites dans une situation et dans les tensions qu'elle engendre et c'est à nous de les y chercher. La qualité durable d'une telle tragédie vient de ce que chacun doit faire à nouveau toute l'expérience, à tous les niveaux de son être, comprendre et peser tous les mobiles, tous les arguments qui s'opposent, et juger pour lui seul. »

TABLE DES MATIÈRES

Imprimerie-Reliure Maison Mame, Tours
Imprimé en France - Dépôt légal : 4e trimestre 1977
D/1967/0190/32 - 8e édition 1977